BREUDDWYD
SIÔN
AP
RHYS

BREUDDWYD SIÔN AP RHYS

Haf Llewelyn

y|Lolfa

Argraffiad cyntaf: 2014

Comisiynwyd y gyfrol gyda chymorth ariannol AdAS

Cynllun y clawr: Olwen Fowler

Rhif Llyfr Rhyngwladol: 978 1 84771 841 9

Cyhoeddwyd, rhwymwyd ac argraffwyd yng Nghymru gan
Y Lolfa Cyf., Talybont, Ceredigion SY24 5HE
gwefan www.ylolfa.com
e-bost ylolfa@ylolfa.com
ffôn 01970 832 304
ffacs 832 782

Pennod 1
Diwrnod Marchnad, 1590

Arhosodd Siôn ap Rhys i wylio Hywel Goch yn canu wrth ddrws y dafarn. Roedd tyrfa wedi heidio i wrando arno'n adrodd hanes llongau Sbaen. Teimlodd Siôn ei lygaid yn cau a'i feddwl yn crwydro. Dyna ei freuddwyd – cael mynd i'r môr fel ei dad. Crwydro'r cefnfor yn chwilio am drysor a sofrenni aur. Cuddiodd Siôn yng nghysgod drws derw. Yn y tywyllwch fel hyn, fyddai neb yn gallu dod o hyd iddo, gobeithio.

Gwrandawodd ar eiriau'r hen fardd. Roedd Siôn wedi clywed y stori lawer gwaith o'r blaen, ond daliodd i wrando. Stori dda oedd honno am longau brenin Sbaen yn ceisio dianc rhag byddin y Frenhines Elizabeth, a'u hwyliau mawr gwyn yn fflamau, ar dân yn y môr rhwng Lloegr a Ffrainc, a'r morwyr druan yn gorfod neidio o afael y fflamau i'r dŵr. Ceisiodd Siôn benderfynu beth fyddai orau ganddo – neidio i'r dŵr a boddi, neu aros ar fwrdd y llong a chael ei lyfu gan y fflamau.

Aeth cryndod trwyddo. Ych a fi, roedd o wedi clywed am bobl yn cael eu llosgi'n fyw. Doedd anghytuno â'r Frenhines Elizabeth ddim yn syniad da. Arhosodd Siôn am funud eto i wrando. Fedrai o ddim dychmygu degau o longau'n suddo i waelod y môr. Doedd o ddim yn siŵr oedd o'n credu'r stori, ond eto, hon oedd ei hoff stori. Pan fyddai ei fam eisiau iddo fynd i'r gwely, dyna fyddai ei bygythiad hi bob tro:

"Dos i dy wely, Siôn bach, a phaid ti â mynd i grwydro wedi iddi nosi, rhag ofn i'r Sbaenwyr gael gafael arnat ti!"

Byddai yntau wedyn yn swatio'n glyd yn y gwely gwellt efo Wmffra, ei frawd bach, ac yn breuddwydio am gael bod yn forwr dewr rhyw ddydd, fel ei dad.

Teimlai'r dyddiau hynny mor bell yn ôl erbyn hyn. Ochneidiodd Siôn a chymryd cip dros ei ysgwydd, rhag ofn fod rhywun wedi ei weld. Roedd y farchnad yn llawn heddiw, llond lle o stondinau: rhai'n gwerthu wyau, caws a menyn; stondin arall yn gwerthu basgedi; a'r un orau gan Siôn oedd yr un a werthai ieir a hwyaid byw. Roedd sŵn y ffair yn llenwi'r stryd: y merched yn bloeddio, y dynion yn llusgo allan o'r dafarn yn canu, ambell un yn rhegi a chwffio efo'i gysgod a phawb yn chwerthin.

Clywodd sŵn gweiddi'n dod o gyfeiriad y tir comin. Craffodd. Roedd yr ymladd ceiliogod ar fin cychwyn yno. Gwrandawodd yn astud. Gallai, fe allai glywed un llais yn uwch na'r lleill i gyd. Y llais cras, creulon yna. Aeth ias arall i lawr ei gefn, ac er y byddai wedi hoffi mynd i wylio'r ceiliogod yn paffio yn y talwrn, wrth iddo sleifio o'i guddfan penderfynodd droi ei gefn a rhedeg cyn gynted ag y gallai oddi wrth y llais. Llais ei ewyrth, Simwnt Fawr.

Cofiodd yn sydyn nad oedd wedi gwneud ei ddyletswyddau eto. Roedd ei ewyrth y bore hwnnw wedi ei fygwth i orffen pob dim cyn iddo ddod adre o'r farchnad, neu...

Roedd y 'neu...' yn dod yn aml o geg ei Ewyrth Simwnt.

"Gwna di'n siŵr fod yna ddigon o goed tân wedi eu torri cyn y do' i adre neu…"

"Mi fyddi di wedi carthu cwt yr ieir bore 'ma, Siôn, neu…"

"Paid ti â dod adre o'r farchnad heb ddarn da o gaws o dan dy grys neu…"

Roedd Siôn yn gwybod yn iawn beth fyddai'n dilyn y 'neu'. Roedd y gosb yr un peth bron bob tro. Byddai ei ewyrth yn cadw chwip ar y bachyn wrth y drws, a byddai teimlo brathiad y lledr yn clymu am ei goesau yn ddigon i Siôn. Fyddai o byth yn rhoi rheswm i'w ewyrth estyn am y chwip, os gallai beidio.

Heddiw, fel ar bob diwrnod marchnad, dyletswydd

Siôn oedd dod o hyd i rywbeth i'w ddwyn – darn o gaws, torth fechan efallai, neu ddarn o arian os oedd o'n lwcus. Yna byddai'n rhaid dod â nhw yn ôl i'r bwthyn lle'r oedd yn byw gydag Wmffra, ei frawd bach, a'i ewyrth. Doedd Siôn ddim yn siŵr sut roedd Simwnt Fawr yn ewyrth iddo – doedd o ddim yn berthynas agos – ond roedd Simwnt yn mynnu bod perthynas rhyngddynt ac mai fo, Simwnt, oedd i fod i edrych ar ôl Siôn a'i frawd. Hy, meddyliodd Siôn, 'edrych ar ôl', wir; eu dysgu sut i ddwyn a thwyllo, dyna'r unig beth roedd Simwnt wedi ei wneud. Ers iddo fo ac Wmffra orfod mynd i fyw at eu hewyrth, roedd Siôn wedi dod yn dipyn o ddewin am ddwyn.

Arhosodd Siôn am funud i edrych ar y stondinau. Pa stondin oedd yn brysur? Pa stondinwr oedd mor brysur fel na fyddai'n sylwi bod Siôn yn stelcian? Edrychodd draw at y stondin fêl. Roedd yr hen wraig a gadwai'r stondin wrthi'n siarad â dau ŵr cyfoethog yr olwg. A fyddai o'n medru cipio'r darn crwybr yna ar ochr y bwrdd, tybed? Daeth dŵr i'w ddannedd wrth iddo ddychmygu blas y mêl. Byddai mêl yn gwneud lles i Wmffra hefyd, meddyliodd. Sylwodd mor araf y symudai'r hen wraig – fyddai hon byth yn gallu ei ddal, hyd yn oed petai hi'n ei weld. Gallai Siôn redeg yn gynt na'r gwynt, ac roedd yn gamp i unrhyw un ei ddal, yn enwedig hen wraig fel hon.

Daeth teimlad rhyfedd i'w fol. Roedd o'n gwybod nad oedd dwyn oddi ar hen wraig yn beth iawn. Teimlai'n annifyr. Yn gachgi. Beth fyddai ei fam yn ei ddweud pe gwelai hi beth roedd ar fin ei wneud? Ond pa ddewis oedd ganddo, a wyneb bach gwelw Wmffra yn mynnu dod i'w feddwl o hyd?

Sleifiodd Siôn yn araf at y stondin. Gyferbyn â'r stondin fêl roedd y stondin botiau a llestri, ac yno roedd gwraig fawr dew wrthi'n sgwrsio gyda gwraig arall, yn trafod y prisiau ac yn twt-twtian yn flin. Plygodd y wraig fawr dew i estyn am un o'r potiau pridd oedd ar y llawr wrth ei thraed. Gwyliodd Siôn hi, ei choesau'n crynu wrth iddi blygu, fel llong simsan ar y môr. Siglai yn ôl a blaen, ei ffedog wen fel hwyl fawr yn codi i'r awyr.

"Gwylia, Marged – mi fyddi di'n siŵr o syrthio!" gwaeddodd y wraig arall, a cheisio rhoi ei llaw i helpu ei ffrind i sythu.

Ond siglodd y wraig dew unwaith eto a gyda sgrech uchel, "WAA!", disgynnodd ar ei thrwyn i ganol y potiau, gan dynnu'r wraig arall i lawr ar ei hôl, a'r llestri a'r potiau a hanner y stondin yn disgyn yn genlli ar eu pennau.

Gwenodd Siôn. Roedden nhw wedi gwneud ei waith yntau'n hawdd. Trodd pawb i weld yr helynt – y stondinwr yn gweiddi'n flin – a rhuthrodd hen wraig y stondin fêl i drio helpu. Cipiodd Siôn y crwybr a chostrel o fedd a rhedeg am ei fywyd am ddiogelwch y dorf. Gallai glywed y gwragedd yn sgrechian, y dorf yn chwerthin a'r stondinwr llestri yn dwrdio fel corn niwl yn y pellter. Ond roedd o'n saff, a byddai Ewyrth Simwnt yn fodlon.

Pennod 2

Cuddiodd Siôn y crwybr mêl o dan ei grys, ac unwaith roedd o wedi mynd o'r golwg yn y dorf dechreuodd ymlacio. Cerddodd yn araf bach ar hyd y ffordd a arweiniai draw i gyfeiriad y bythynnod lle'r oedd o ac Wmffra yn byw gyda'u hewyrth. Fyddai Siôn byth yn meddwl am y lle fel ei gartref. Roedd ei hen gartref yn lle cynnes, diogel, a'i fam yno o hyd yn brysur yn paratoi bwyd neu'n estyn ei breichiau i'w gysuro pan oedd o wedi brifo neu'n teimlo'n drist. Nid cartref oedd y bwthyn yma lle'r oedd Wmffra ac yntau'n gorfod byw. Doedd dim byd yn gynnes nac yn ddiogel yma. Dim ond chwip Simwnt yn hongian ar y bachyn, a'r lle tân yn oer. Fyddai'r un crystyn i'w fwyta chwaith, oni bai i Siôn ei hun ddod o hyd i un.

Wrth nesáu at y bwthyn, rhoddodd chwibaniad fach. Arwydd rhyngddo fo ac Wmffra oedd y chwibaniad, rhybudd i'w frawd bach fod rhywun ar y ffordd. Gwyddai Siôn y byddai Wmffra wedi ymgolli yn ei freuddwydion. Un felly oedd Wmffra, a dyna pam ei fod yn cael blas y chwip mor aml. Fyddai

Wmffra byth yn cofio beth roedd Simwnt wedi'i ddweud wrtho oherwydd byddai ar goll yn ei fyd bach ei hun o hyd. Weithiau, byddai Siôn yn dod yn ei ôl i ddarganfod Wmffra wrthi'n ceisio trwsio adain rhyw aderyn bach neu'n ceisio cael draenog gwan i yfed ychydig o ddŵr oddi ar ei fys. Byddai Siôn hefyd yn mynd yn flin braidd bryd hynny oherwydd doedd ganddyn nhw ddim digon o fwyd i'w cadw rhag llwgu, heb sôn am geisio rhoi bwyd prin i achub rhyw anifail gwyllt.

Ond fyddai o byth yn dweud y drefn wrth Wmffra. Gwyddai Siôn y byddai ei fam wrth ei bodd pe gwyddai mor dda oedd Wmffra am fendio creaduriaid bach fel hyn. Byddai ei fam yn un dda am fendio pobl ac anifeiliaid. Byddai pobl yn dod ati o bell ac agos i ofyn am eli neu ffisig. Caeodd Siôn ei lygaid a gwenu. Gallai weld wyneb ei fam yn gwenu arno o hyd ac arogli'r lafant ar ei dillad. Agorodd ei lygaid eto a gwthio'r dagrau draw.

Doedd ganddo ddim amser i hel meddyliau a llai fyth o amser i grio. Brysiodd i lawr y ffordd lychlyd at y bwthyn.

Roedd yn rhaid iddo rybuddio Wmffra fod Simwnt ar ei ffordd. Roedd yr ymladd ceiliogod drosodd. Roedd o wedi gweld y dyrfa o amgylch y talwrn ceiliogod yn symud i ffwrdd – rhai'n chwerthin ac yn taro'u cefnau ei gilydd, a'r lleill yn edrych yn benisel a'u pyrsiau pres yn wag. Doedd Siôn ddim wedi aros i chwilio am Simwnt. Chwibanodd eto i rybuddio Wmffra i guddio unrhyw greadur bach oedd ganddo yn y bwthyn. Chwiban hir, isel. Pe byddai Simwnt yn cyrraedd y bwthyn ac yn gweld anifeiliaid Wmffra, byddai o'i gof yn lân. Gallai Siôn ei ddychmygu – byddai ei wyneb yn crebachu nes troi'n borffor tywyll, y gwythiennau ar ei dalcen yn chwyddo fel swigod, ei lygaid yn culhau a'i geg yn troi'n llinell llawn llid. Roedd ar Siôn ac Wmffra fwy o ofn tymer Simwnt na byddin Sbaen hyd yn oed.

"Wmffra!" galwodd Siôn, a thynnu'r crwybr oddi tan ei grys. "Wmffra, ble'r wyt ti? Edrych be sydd gen i i ti…"

Rhoddodd y crwybr ar y bwrdd ond doedd dim sôn am ei frawd bach.

Yna, clywodd y sŵn. Sŵn adain yn ysgwyd a chwerthiniad bach ysgafn Wmffra yn dod o gefn y bwthyn yn rhywle. Aeth Siôn yn ei ôl allan a throi heibio cornel y bwthyn. Yno roedd Wmffra, yn gafael yn dynn mewn cloben o ŵydd fawr.

"Wmffra! Be wyt ti'n neud? Lle cest ti honna?" meddai.

Chwarddodd Wmffra eto wrth i'r ŵydd hisian yn flin ar ei frawd mawr.

"Lle cest ti hi, Wmffra?" Cododd y dychryn i lais Siôn. Oedd ei frawd bach wedi ei dwyn hi? Gwyddai Siôn beth oedd y gosb am ddwyn a gwyddai y byddai dwyn aderyn mawr fel gŵydd yn gallu dwyn penyd enbyd ar eu pennau.

"Dod o hyd iddi hi wnes i, Sionyn. Edrych, dwi wedi gorfod rhoi rhwymyn am ei throed hi," meddai Wmffra gan ddal yn dynn yn yr ŵydd.

"Ond gŵydd pwy ydi hi, Wmffra? Ti'n gwybod nad wyt ti ddim yn cael dod ag anifeiliaid rhywun arall adre fan hyn. Dwyn ydi hynny." Yna, cofiodd am y crwybr mêl a thawelodd yn sydyn.

"Nid ei dwyn hi wnes i, siŵr iawn, ond dod â hi yma i'w mendio. Roedd ei throed hi wedi mynd yn sownd mewn darn o raff, a hithau wedi tynnu cymaint nes bod ei choes hi'n waed i gyd."

Ochneidiodd Wmffra a dechrau pesychu. Roedd dal ei afael yn yr ŵydd yn dipyn o gamp i fachgen bach, a'r aderyn mawr yn hisian a chwifio'i adenydd, ac yn ceisio'i orau glas i'w frathu.

"Mi awn ni â hi yn ei hôl rŵan, felly. Dangos i mi lle cest ti hi," meddai Siôn.

"Ond tydi ei throed hi ddim wedi mendio eto ac os awn ni â hi yn ôl rŵan mi fydd yr adar eraill yn siŵr o bigo arni a'i lladd hi. Edrych mor wan ydi hi," meddai Wmffra, yn ceisio cael ei wynt ar ôl y peswch.

Gallai Siôn weld yr olwg benderfynol yna yn dod i lygaid ei frawd bach a doedd o ddim am wylltio Wmffra, rhag iddo ddechrau pesychu eto. Suddodd ei galon. Roedd gofalu am Wmffra yn waith caled, ond roedd o wedi addo.

"Na, Wmffra, os cawn ni'n dal efo'r ŵydd yn fan hyn mi fyddi di a fi yn y dwnjwn yng Nghastell Harlech cyn nos. Ty'd."

"Na!" meddai Wmffra wedyn gan ddal yn dynnach yn yr ŵydd, nes i honno flino ar ei chlebar a swatio yn ei freichiau.

Edrychodd Siôn ar ei frawd bach. Beth fyddai ei fam wedi ei wneud, tybed? Gwyddai y byddai hithau wedi ceisio ei gorau i fendio unrhyw greadur, ond dyna pam eu bod yn yr helbul yma, am fod ei fam yn mynnu trio helpu pawb a phopeth o hyd. Doedd Siôn erioed wedi deall hynny chwaith – pam eu bod nhw wedi mynd â Mam i ffwrdd, a hithau'n gwneud dim ond helpu pobl.

"Gwrach!" Dyna oedd y dorf wedi'i weiddi y noson honno. Y noson ofnadwy honno pan aethon nhw â'i fam i ffwrdd. "Gwrach, rheibes, melltith arni…!"

Aeth ias oer i lawr cefn Siôn wrth iddo gofio rhuo'r dorf, a chaeodd y llun a'r gweiddi o'i feddwl.

Roedd yn rhaid iddo wneud rhywbeth rŵan, a

hynny'n gyflym, neu byddai Simwnt yn cyrraedd, a doedd wybod beth fyddai hwnnw'n ei wneud.

"O'r gora, Wmffra. Wn i be wnawn ni," meddai Siôn yn araf, ei feddwl yn rhedeg ras, yn gwibio o un ateb i'r llall. Yna, goleuodd ei wyneb.

"Be?" holodd Wmffra.

"Ty'd." Tynnodd Siôn ei grys. "Helpa fi i lapio'r ŵydd yn fy nghrys i ac mi awn ni â hi i lawr i'r beudy bach sydd ar waelod y ddôl, ac mi gei di fynd yn ôl yno bore fory i weld os ydi hi'n ddigon cryf i'w gollwng."

Yn araf, cododd Wmffra, gan gadw'r ŵydd yn dynn yn ei freichiau. Edrychodd yn amheus ar ei frawd mawr.

"Ty'd, Wmffra, rhaid inni frysio neu mi fydd Simwnt yn ei ôl."

Gweithiodd y geiriau fel hud a brysiodd Wmffra i ddal yr ŵydd allan o'i flaen tra lapiodd Siôn ei grys yn dynn amdani. Yna, rhuthrodd y ddau trwy'r glwyd ac i lawr i gyfeiriad y beudy. Rhedodd Wmffra o flaen Siôn i agor y drws. Doedd yr un anifail yn cael ei gadw yno, a hithau'n haf, a fyddai neb yn dod yno i fusnesa gobeithio. Gwenodd Wmffra. Roedd hwn yn lle da i guddio gŵydd. Gollyngodd y ddau frawd yr aderyn a chau'r drws yn dynn. Ailwisgodd Siôn ei grys a rhoi pwniad chwareus i'w frawd bach.

"Ti a dy greaduriaid, Wmffra! Be nesa?"

Ond roedd ei frawd bach wedi rhuthro o'i flaen at ymyl y nant ac roedd o eisoes yn gorwedd ar garreg lefn, yn hongian dros y dŵr.

"Shsh!" Trodd at ei frawd a sibrwd, "Mae yna frithyll fan hyn. Mi welais i o'n cuddio…"

Tynnodd Siôn ei hances o'i boced a'i lapio am ei law cyn gorwedd wrth ymyl ei frawd. Rhoddodd ei law yn y dŵr ac aros yn llonydd, llonydd. Yna, teimlodd y pysgodyn, fel deilen arian o dan wyneb y dŵr, yn cosi ei law. Fel fflach, cydiodd yn y brithyll a'i daflu i'r lan. Dawnsiodd hwnnw ar y gwair a rhuthrodd Wmffra i'w ladd. Roedd yna amser i fendio anifail ond, pan oedd ei fol yn wag, roedd yna amser i ladd hefyd.

Chwarddodd Siôn yn fodlon a cherddodd y ddau yn ôl tua'r bwthyn, gan weddïo nad oedd Simwnt wedi cyrraedd ac mai dim ond rhannu'r brithyll rhwng dau fyddai raid.

Pennod 3

Roedd hwyliau da ar Simwnt pan gyrhaeddodd adre. Roedd y ceiliog du wedi ennill ac felly roedd ei bocedi'n llawn. Cadwai Simwnt y ceiliog mewn cawell mawr yn y buarth bach yng nghefn y bwthyn. Y ceiliog oedd ei drysor pennaf, ac er fod Siôn yn casáu'r creadur milain a'i grafangau dur creulon, roedd Wmffra, wrth gwrs, yn llawn tosturi tuag ato. Wmffra fyddai'r unig un a fentrai agor y cawell ac, yn rhyfedd iawn, byddai'r ceiliog yn ddigon bodlon i Wmffra estyn ei law i mewn i roi ychydig o eli ar y briwiau wedi'r ymladd.

Pan gyrhaeddodd Simwnt adre felly, nid yn unig â llond ei bocedi o arian ond â phencampwr gwaedlyd yn y cawell a chostrel o fedd ar y bwrdd, roedd hwyliau mawr arno. Roedd ei ffrind, Huw Gwyn, wedi dod efo fo i ddathlu camp y ceiliog a dyna lle bu'r ddau'n yfed cwrw bach a medd, gan frolio'n swnllyd.

"Wel, Simwnt... hic... andros o geiliog ydi hwnna sgen ti," meddai Huw Gwyn gan daro'r bwrdd efo'i ddwrn nes bod y cwpanau'n dawnsio.

"Ie, yntê, a fi sydd wedi gweithio arno fo w'sti...

Dwi wedi treulio oria yn trwsio'i blu fo ac yn rhwbio eli i'w friwia fo..." broliai Simwnt yn feddw. "Does yna neb arall yn medru mynd yn agos at y ceiliog ond fi!"

"W'sti be, Simwnt? Mi rwyt ti'n ufflon o un da... hic... am gael ceiliogod i baffio..." cytunodd ei ffrind a cheisio codi, ond siglodd fel llong a disgyn yn ôl yn glewt ar y stôl.

Swatiai Siôn ac Wmffra yn y gwely gwellt yn y llofft uwch eu pennau, yn gwrando. Roedd y ddau wedi troi am eu gwlâu yn syth ar ôl bwyta'r brithyll ac wedi dringo'r ysgol i'r llofft fechan uwchben cyn i'w hewyrth ddod adre.

Gwrandawodd y ddau frawd ar y siarad meddw am sbel, gan stwffio eu dyrnau i'w cegau rhag iddyn nhw chwerthin yn uchel. Cyn pen dim, roedd cwsg wedi cau amrannau Wmffra a gallai Siôn glywed ei anadlu trwm yn y tywyllwch. Gallai yntau ymlacio rŵan a chysgu. Byddai hwyliau da ar Simwnt am ddyddiau, siawns, ar ôl camp y ceiliog. Mi fyddai'r ddau yn cael llonydd efallai, yn lle gorfod mynd allan i wneud gwaith blin Simwnt drosto.

Swatiodd Siôn wrth ymyl ei frawd bach ac roedd cwsg ar fin cydio'n dynn ynddo pan glywodd rywbeth a wnaeth iddo ddeffro trwyddo. Symudodd Wmffra a gwneud sŵn fel petai am ddeffro, a rhuthrodd Siôn i roi ei law ar ei geg. Ond deffrodd Wmffra wrth deimlo llaw ei frawd mawr dros ei drwyn, a gwnaeth Siôn arwydd arno i fod yn dawel. Arhosodd y ddau yn llonydd, llonydd i wrando.

"Ie, sofren aur oedd hi, dwi'n dweud wrthat ti, Simwnt. Mi frathes i hi efo'm dant fy hun − aur pur, oddi ar un o longau Sbaen," taerai Huw Gwyn.

"Ond pwy oedd y dyn felly, Huw?" holodd Simwnt.

"Wel, un o ddynion Tomos Prys oedd o'n ddigon siŵr i ti."

"Tomos Prys, Plas Iolyn?" holodd Simwnt, a dyna pryd y cododd Siôn ar ei eistedd, gan sicrhau bod pob gewyn o'i gorff yn llonydd.

Beth oedden nhw'n ei ddweud am Tomos Prys?

"Ie, ie, mae'n debyg ei fod yn ei ôl ar dir sych," meddai Huw.

"Yn ei ôl ym Mhlas Iolyn?" Sibrwd y geiriau wnâi Simwnt, fel petai'n gwybod y gallai rhywun fod yn gwrando.

"Dwn i ddim os ydi o yn yr ardal yma, cofia. Mi ddeudodd rhywun mai tua Llŷn mae ei long o ac nad ydi o am fentro dod â hi o dan drwyn y gyfraith."

"Tomos Prys yn ei ôl, a llond ei gôl o aur!" sibrydodd Simwnt eto, fel petai o'n methu â chredu'r peth.

Roedd Tomos Prys, Plas Iolyn yn fonheddwr, yn fardd ac yn ddyn pwysig yn ardal Uwchaled. Roedd sôn amdano ar hyd y tir, yn filwr a llongwr heb ei ail. Doedd neb yn siŵr o'r storïau amdano. Oedd y Frenhines Elizabeth ei hun wedi rhoi llong iddo? Dyna fyddai'r hen wragedd i gyd yn ei daeru – rhoi llong yn wobr iddo am ei fod wedi helpu i yrru llongau Sbaen i ffwrdd. Byddai eraill yn dweud bod Tomos Prys wedi gwneud digon o arian i fedru prynu llong fawr gref i hwylio'r moroedd. Ond beth bynnag oedd y gwirionedd, fe wyddai Simwnt a Huw y byddai arian o gwmpas os oedd dynion Tomos Prys yn ôl yn yr ardal. Digon o arian. Roedd Simwnt wedi clywed am ei antur ddiwethaf yn ymosod ar longau Sbaen ac yn dwyn y cargo gwerthfawr. Roedd sôn fod merched Plas Iolyn yn gwisgo dillad sidan crand ac yn mynd i Lundain i lys y Frenhines i ddangos eu hunain.

"Llond y lle o aur... hic..." meddai Huw yn freuddwydiol.

Gwrandawodd Siôn eto ond ddaeth yna'r un smic gan Simwnt am sbel. Oedd ei ewyrth wedi syrthio i gysgu, tybed? Mentrodd Siôn blygu yn ei flaen fel y gallai graffu trwy'r twll bach yn y preniau o dan ei wely. Yn y golau gwan gallai weld wyneb ei ewyrth. Doedd o ddim yn cysgu, ond roedd ei lygaid ymhell, fel petai'n meddwl yn ofalus. Yna, cododd ei ben ac edrych ar ei ffrind.

"Huw," meddai'n wyllt, "y bechgyn! Efallai y daw rhywun i chwilio amdanyn nhw…"

"I chwilio am bwy?" holodd Huw yn ffwndrus.

"Y bechgyn," meddai Simwnt gan bwyntio'n syth i fyny at lle'r oedd Siôn yn sbecian.

Daliodd Siôn ei anadl.

"Os clywi di fod yna rywun yn holi am y bechgyn, tyrd i ddweud wrtha i yn syth, wyt ti'n deall?"

"Dod i ddeud wrthat ti, Simwnt?" meddai Huw yn hurt.

"Ie, mae'n rhaid i ti gofio, Huw, w'sti…"

Gallai Siôn weld meddwl Simwnt yn troi.

"W'sti, maen nhw'n cipio bechgyn bach fel rhain ac yn mynd â nhw i'r môr, yn tydyn?" ychwanegodd.

Gwyddai Siôn mai dweud celwydd yr oedd ei ewyrth. Pam nad oedd Simwnt am i neb o ddynion Tomos Prys eu gweld? Gorweddodd Siôn yn ôl yn y gwellt, ei galon yn curo. Edrychodd ar ei frawd bach oedd yn chwyrnu cysgu wrth ei ochr eto. Ceisiodd ei orau i gofio geiriau ei fam cyn iddyn nhw ei llusgo i ffwrdd.

"… Gofala di am Wmffra, cofia rŵan, Siôn, a thria gael gair draw at un o weision Tomos Prys. Tomos Prys… mi fedar o eich helpu."

Pan ddaeth pen Simwnt i fyny trwy'r twll yn y llawr i edrych oedd y ddau'n cysgu, roedd wyneb Siôn yn llonydd, llonydd. Ond roedd ei feddyliau'n rhedeg mor gyflym â cheffyl gorau'r Rhiwlas. Diflannodd pen Simwnt a chlywodd Siôn y drws yn agor a Huw'n symud yn sigledig trwyddo.

"Cofia di rŵan, Huw, dim gair wrth y bechgyn fod Tomos Prys yn ei ôl, ac os bydd rhywun yn holi amdanyn nhw, rydw i'n gofalu amdanyn nhw fel dau dywysog... Iawn?"

"Wrth gwrs, Simwnt, wrth gwrs."

Pennod 4

Pan gododd Siôn ac Wmffra'r bore wedyn, roedd Simwnt yn dawel iawn. Edrychodd Siôn yn anesmwyth arno. Doedd o ddim yn ymddwyn yr un fath ag arfer rywsut, ddim yn gweiddi arnyn nhw i godi nac yn bygwth bonclust am hyn a'r llall. Yna, pan roddodd ei ewyrth ddarn o fara, tamaid o gaws a chwpanaid o gwrw bach i lawr ar y fainc bren a dweud wrth y ddau am fwyta, roedd Siôn yn sicr fod rhywbeth mawr o'i le ar y dyn.

Fyddai yna ddim brecwast ar gael fel arfer, dim ond wyneb sarrug Simwnt yn barod i roi gorchmynion. Dod o hyd i frecwast wnâi'r bechgyn, a hynny wrth ddrws cefn rhai o dai mawr yr ardal. Roedden nhw'n gwybod erbyn hyn at bwy i fynd i gael crystyn ac fe wydden nhw hefyd ble i gadw draw oddi wrtho rhag ofn iddyn nhw gael blas chwip.

"Dewch i fwyta, fechgyn," meddai Simwnt, ei wyneb yn gwingo'n siâp gwên gam.

Gwthiodd Siôn ei frawd bach at y fainc ac eisteddodd yntau wrth ei ymyl. Ond rywsut, ni fedrai gyffwrdd yn y bwyd, rhag ofn mai tric creulon oedd hwn eto. Safai Simwnt uwch eu pennau'n nodio.

"Dewch, b'ytwch, wir, i chi gael cryfhau. Tyrd o 'na, Siôn," meddai, a'i lais yn troi'n feddal, ffals. "B'ytwch, fedr neb ddweud nad ydw i'n edrych ar eich holau chi'n dda, yn na fedran? E, Wmffra?" ychwanegodd, a gwthio'i wyneb i lawr nes bod ei lygaid yn syllu i mewn i lygaid gleision Wmffra. Roedd hwnnw wedi stwffio'r bara a'r caws i'w geg ac yn methu ateb heb boeri bwyd dros wyneb ei ewyrth.

"Gymri di chwaneg o gaws, Siôn?" meddai wedyn, cyn estyn sach fach oddi ar y bachyn. Yna, rhoddodd damaid o'r bara, tamaid o gaws a darn o'r crwybr mêl i mewn yn y sach.

"Dwi am i chi'ch dau fynd i fyny i'r mynydd heddiw, i hel coed tân," meddai wedyn.

Nodiodd Siôn. Byddai diwrnod yn ddigon pell o lygaid barcud Simwnt yn werth chweil a gallai Siôn weld bod yr haul yn danbaid yn barod. Rhoddodd ei galon naid fach hapus. Diwrnod cyfan i fyny ar y mynydd heb Simwnt yn eu gwylio. Nefoedd! Ac eto, roedd rhywbeth yn rhyfedd iawn am ymddygiad ei ewyrth y bore 'ma.

"A dyma chi, ewch â'r sach yma efo chi, i chi gael rhywbeth i'w fwyta ganol dydd. A chofiwch nad ydw i eisiau eich gweld chi 'nôl i lawr tan hwyr y pnawn."

Gwthiodd y sach i ddwylo Siôn. "A chofiwch rŵan – digon o goed tân."

Safodd Simwnt i'r ochr i wneud lle iddyn nhw fynd heibio iddo yn y drws. Rhuthrodd y ddau frawd allan i'r haul, yn methu credu'r hwyliau da oedd ar eu hewyrth. Dechreuodd y ddau redeg, rhag ofn mai tric oedd hwyliau da Simwnt ac y byddai'n troi unrhyw funud ac yn dechrau rhegi a bytheirio arnyn nhw yn ôl ei arfer.

Wedi i'r ddau fynd yn ddigon pell, eisteddodd Simwnt ar y stepan tu allan i ddrws y bwthyn i feddwl. Os oedd Tomos Prys, Plas Iolyn yn ei ôl, byddai'n rhaid iddo fod yn ofalus iawn. Edrychodd o'i gwmpas yn gyfrwys ac yna, wedi gwneud yn siŵr nad oedd neb yn y golwg, cododd a mynd yn ôl i mewn. Safodd wrth y gist oedd yn pwyso ar y wal. Symudodd hi'n ofalus ac, ar y wal y tu ôl i'r gist, teimlodd ei fysedd am y garreg rydd. Tynnodd y garreg fechan yn ofalus a'i symud o'r wal. Yno, y tu ôl i'r garreg, roedd twll. Rhoddodd Simwnt ei law yn y twll ac estyn pwrs bach lledr allan. Teimlodd Simwnt bwysau'r pwrs lledr yn ei law. Gwenodd. Roedd y pwrs yn drwm. Agorodd y pwrs a'i droi, fel bod y sofrenni aur yn tywallt allan ar ei law. Sofrenni aur oddi ar longau Sbaen, yn ddigon siŵr. Cyfrodd Simwnt nhw. Pum sofren aur. Ffortiwn! Gwenodd yn farus a'u rhoi yn eu holau yn y pwrs, ac yna rhoi hwnnw yn ofalus yn y twll. Ailosododd y garreg yn ei lle a gwthio'r gist yn ei hôl yn erbyn y wal.

Aeth yn ei ôl i eistedd y tu allan i'r bwthyn i feddwl.

Beth os deuai Tomos Prys ei hun i chwilio am y bechgyn? Dechreuodd chwysu. Roedd hi'n ddiwrnod poeth ond nid gwres yr haul yn unig oedd yn gwneud i Simwnt gynhesu. Beth os deuai Tomos Prys i wybod am ei gynllun? Byddai ar ben arno.

Gwyddai Simwnt yn iawn am Rhys, tad y bechgyn. Roedd o'n un o weision gorau Tomos Prys, yn ddyn dewr ac yn forwr craff. Bu ei hanes ar hyd y fro i gyd, a beirdd yn sgwennu cerddi am Rhys, gwas ffyddlon Tomos Prys. Marw wrth amddiffyn ei feistr yn erbyn milwyr Sbaen wnaeth o. Roedd brwydr fawr ar y môr, a Tomos Prys a'i ddynion wedi dal un o longau Sbaen ar y cefnfor. Bu'r frwydr yn un waedlyd a hir, a'r cleddyfau'n fflachio a sŵn bloeddio'r dynion yn cael ei foddi gan sŵn y tonnau'n rhuo. Yna, â'r frwydr bron ar ben, sleifiodd un o'r Sbaenwyr tuag at Tomos Prys ac roedd ar fin gwthio ei ddagr i gefn y bonheddwr pan ruthrodd Rhys ato a'i daro gyda'i gleddyf. Ond rhoddodd y Sbaenwr un hyrddiad i'w ddagr nes ei fod yn suddo i galon Rhys.

Yno, ar fwrdd y llong yn ôl pob sôn, y gwnaeth

Tomos Prys yr addewid. Yno, a'i fywyd yn darfod, y gofynnodd Rhys i'w feistr ofalu am ei wraig, Gwerfyl, a'i ddau fab bach, Siôn ac Wmffra. A byth ers hynny, byddai sofren aur yn glanio bob blwyddyn i ofalu am y bechgyn a'u mam.

Ond i ddwylo blewog Simwnt yr oedd y sofren yn mynd erbyn hyn, wrth gwrs. Chwarddodd Simwnt. Gweithiodd ei gelwyddau'n dda. Dim ond lledaenu stori neu ddwy am ddawn Gwerfyl i drin anifeiliaid ac roedd pobl ddiniwed Penllyn yn barod iawn i ddechrau amau. Pan gollodd buwch orau Dafydd Llwyd ei llo, roedd yn rhaid gweld bai ar rywun − Gwerfyl, wrth gwrs. Os gallai hi fendio anifeiliaid, gallai eu rheibio hefyd. Gwrach oedd hi, yn ddigon siŵr. Dim ond digwydd dweud wnaeth Simwnt, yn y farchnad, ei fod wedi gweld golau rhyfedd ym mwthyn Gwerfyl yn hwyr y nos, a'i fod wedi ei gweld hi'n dod o gyfeiriad y beudy lle'r oedd Dafydd Llwyd yn cadw ei fuwch. Roedd hynny'n ddigon i brofi mai gwrach oedd hi, a phan ddaeth y milwyr i chwilio amdani, nid oedd neb yno i amddiffyn y weddw ifanc a'i dau fab bach.

Roedd pawb wedi synnu bod Simwnt, o bawb, wedi dod i'r adwy ac wedi cymryd y ddau fach i mewn i'w gartref i ofalu amdanyn nhw. Roedd Simwnt, mae'n debyg, yn perthyn rywsut i'w taid ond doedd dim dyletswydd arno i ofalu am y bechgyn. Byddai'n rhaid i'r plwyf ofalu amdanyn nhw gan nad oedd ganddyn nhw na thad na mam. Chwarae teg i Simwnt, meddai'r cymdogion, roedden nhw bob amser wedi meddwl amdano fel tipyn o hen swnyn blin. Ond mae'n rhaid fod ei galon yn feddal, medden nhw. Wydden nhw ddim, wrth gwrs, am y sofren aur y byddai Simwnt yn ei derbyn am ofalu am y bechgyn. Wyddai Siôn nac Wmffra ddim am yr un sofren aur chwaith. Ac yn sicr, welodd yr un o'r ddau gysgod yr un sofren, na dim o'r hyn y medrai sofren fod wedi ei brynu i lenwi eu boliau neu i roi dillad cynnes ar eu cefnau. Roedd Simwnt yn cadw pob un yn ofalus yn ei guddfan ac yn gyrru'r ddau fachgen allan â'u boliau'n wag a'u dillad yn garpiog.

Dechreuodd Simwnt anesmwytho. Os oedd Tomos Prys yn ôl, yna byddai'n siŵr o ddod i ymweld â'r bechgyn. Bu Simwnt yn lwcus yn y gorffennol – un o weision Tomos Prys fyddai'n dod draw i holi am y bechgyn, ac i ddod â'r sofren. Byddai yntau'n gwneud yn siŵr nad oedd y bechgyn o gwmpas, ac yn eu canmol, gan ddweud gymaint yr oedd o'n eu caru ac mor ofalus oedd o ohonyn nhw. Byddai hyd yn oed yn brolio ei fod wedi gofyn i'r crydd wneud pâr newydd o esgidiau bob un iddyn nhw. Fyddai gwas Tomos Prys, Plas Iolyn byth yn gweld y bechgyn nac yn cael cyfle felly i weld nad oedd gan yr un ohonyn nhw esgid rhyngddyn nhw.

Meddyliodd Simwnt eto. Byddai'n rhaid iddo wneud yn siŵr nad oedd y ddau o gwmpas yn aml felly. Byddai'n rhaid iddo roi rhybudd iddyn nhw, os deuai unrhyw un dieithr o gwmpas, fod y ddau i guddio. Byddai'n ddigon hawdd dychryn y ddau trwy ddweud bod stori ar led fod dynion dieithr o gwmpas yn chwilio am fechgyn ifanc i'w dwyn i fynd â nhw i weithio ar longau rhyfel y Frenhines. Ie, chwarddodd Simwnt yn isel wrtho'i hun, dyna fyddai o'n ei ddweud.

★ ★ ★

Roedd Siôn ac Wmffra wedi rhedeg nerth eu traed am y mynydd wedi iddyn nhw gael y sach llawn bwyd gan eu hewyrth. Methai'r ddau â chredu'r peth. Diwrnod cyfan efo digon o fwyd a digon o lonydd.

Wrth i'r ddau groesi'r nant fach i gyfeiriad ffordd y mynydd, arhosodd Wmffra yn stond.

"Siôn!" meddai'n sydyn.

"Be sy? Ty'd yn dy flaen, neidia," meddai Siôn, gan geisio cael ei frawd i neidio dros y dŵr gloyw.

"Na, aros, Siôn. Rydan ni wedi anghofio am yr ŵydd!" bloeddiodd Wmffra.

Suddodd calon Siôn. Beth os byddai Simwnt yn eu gweld yn mynd yn eu holau i lawr at y beudy? Roedd yn ddigon hawdd gweld y beudy o'r bwthyn.

"Paid â phoeni am yr ŵydd, mi fydd hi'n iawn tan y down ni i lawr heno," ceisiodd Siôn, ond gwyddai wrth edrych ar Wmffra na fyddai hynny'n gwneud y tro.

"Na, rhaid i mi fynd â bwyd iddi rŵan!" galwodd Wmffra, ac roedd wedi cychwyn i lawr ar hyd y ddôl i gyfeiriad y beudy cyn i Siôn fedru gwneud dim i'w rwystro.

Roedd y ddau ar fin cyrraedd y beudy pan glywson nhw sŵn lleisiau. Cuddiodd y brodyr i wylio, ac edrych i fyny i gyfeiriad y bwthyn. Agorodd llygaid Siôn yn fawr. Roedd dyn dieithr yn siarad â Simwnt. Dyn dieithr crand yr olwg. Gallai Wmffra a Siôn weld ei het gantel lydan a'r bluen goch arni yn chwifio yn awel y bore. Craffodd Siôn. Roedd gan y dyn gleddyf yn hongian o'i wregys a gallai Siôn weld yn iawn nad unrhyw hen gleddyf oedd hwn. Roedd iddo garn trwm a cherrig gwerthfawr yn ei addurno. Pefriodd llygaid Siôn fel dwy seren.

Gwyliodd y ddau frawd y dynion yn sgwrsio, a Simwnt yn gwenu ei wên ffals. Yna, rhoddodd y dyn dieithr rywbeth yn llaw Simwnt, cyn cyffwrdd â'i het a ffarwelio. Gwyliodd y bechgyn eu hewyrth yn gwenu cyn rhuthro i mewn i'r bwthyn. Swatiodd y ddau yno'n llonydd, llonydd. Pwy oedd y dyn bonheddig, tybed, a beth oedd ei neges efo Simwnt?

Pennod 5

Wedi rhoi hanner y bara i'r ŵydd, roedd Wmffra'n fodlon. Roedd troed yr aderyn yn gwella'n gyflym a byddai'n barod i fynd yn ôl at yr adar eraill yn fuan iawn. Wyddai Siôn ddim sut yr oedden nhw am fynd â hi yn ei hôl at ei pherchennog heb i hwnnw sylwi, chwaith. Ond roedd hi'n ddiwrnod braf a gorfododd ei hun i beidio â phoeni am hynny – am y tro.

Cododd ei galon. Roedd Wmffra ac yntau'n rhydd am y diwrnod. Roedd ganddyn nhw fwyd yn eu boliau a bwyd (hynny oedd yn weddill ohono wedi bwydo'r ŵydd) yn y sach ac, yn bwysicach na dim, roedd hwyliau da ar Simwnt. Neidiodd Siôn dros y nant fach unwaith eto a rhoi pwniad chwareus i'w frawd nes i hwnnw golli ei draed a bron â glanio ar ei ben ôl yn y dŵr.

"Ha, ha, ydi dy draed di'n wlyb, Wmffra bach?" heriodd a dechrau rhedeg o flaen ei frawd, a hwnnw'n tasgu dŵr i'w gyfeiriad.

Rasiodd y ddau ar draws y ddôl yn chwerthin a gweiddi'n hapus.

"Mi ga' i di'n ôl, Siôn! Mi ga' i afael arnat ti a

rhoi dy ben di'n y pwll acw!" bloeddiodd Wmffra gan geisio dal ei frawd mawr, a hwnnw'n dawnsio a neidio o'i afael bob tro.

Roedd y ddau wedi cerdded ymhell. Doedden nhw ddim yn cofio bod mor bell â hyn o'r bwthyn o'r blaen. O'u blaenau roedd clwstwr o fythynnod bach, a thawelodd y ddau. Doedden nhw ddim am darfu. Roedd pob man mor heddychlon, mor bell oddi wrth ddwrdio Simwnt a chlochdar y ceiliog du. Doedd dim i'w glywed ond ambell iâr yn crafu ar y domen a mwmian gwenyn o'r cychod wrth y wal, a dail y coed yn sibrwd cyfrinachau. Roedd y ddau ar fin gadael y bythynnod o'u hôl pan ddaeth sŵn ysgyrnygu a chyfarth ffyrnig o grombil tywyll y bwthyn olaf. Rhuthrodd milgi milain yr olwg allan, ei ddannedd yn un rhes o gyllyll miniog, gwynion. Rhoddodd Wmffra sgrech a symudodd Siôn rhyngddo a'r ci i geisio amddiffyn ei frawd. Rhuthrodd y ci am fferau Siôn ond cyn iddo gael cyfle i suddo ei ddannedd i goes y bachgen daeth bloedd o'r tu mewn i'r bwthyn.

"Ty'd yma, Rhacs! Ty'd yn ôl i fan hyn," a brasgamodd hen wraig allan o'r bwthyn. "Ty'd yma'r hen gi gwirion!" dwrdiodd.

Arhosodd y ci yn ei unfan, cyn llusgo yn ei ôl at ei feistres a'i gynffon rhwng ei goesau.

"Wyt ti'n iawn, fachgen?" gwaeddodd yr hen wraig.

Arhosodd Siôn a throi yn ei ôl i wynebu'r ci ffyrnig a'i feistres.

"Ydw, diolch," meddai.

Erbyn hyn roedd Wmffra wedi troi i edrych ar y milgi a gallai Siôn ei weld yn dal ei law allan i'r ci ddod i'w llyfu. Mwmiodd Wmffra rywbeth a thawelodd y ci. Dyna fo eto, meddyliodd Siôn. Sut roedd ei frawd bach yn gallu tawelu anifeiliaid fel hyn? Roedd y ci'n trotian tuag ato, ei gynffon yn ysgwyd yn braf. Roedd hud Wmffra wedi gweithio eto.

"Sut wnest ti hynna?" holodd Siôn a gwenodd ei frawd bach arno.

Edrychodd yr hen wraig ar y ddau frawd am funud.

"Begw ydw i, ac mae'n ddrwg gen i am Rhacs, ond mae o'n un da, wyddoch chi, am ofalu am hen wraig fel fi, achos mae yna bobl ryfedd yn dod y ffordd hyn ar dro."

Yna arhosodd Begw am funud a chraffu ar wyneb Siôn.

"Dwi'n dy nabod di, yn dydw," meddai.

Cododd Siôn ei ysgwyddau. Wyddai o ddim pwy oedd yr hen wraig.

"Ble'r ydach chi'ch dau'n mynd, felly?" holodd hithau wedyn.

"I hel coed tân i'r mynydd," meddai Siôn.

"O, hel coed tân i bwy, felly?" holodd Begw.

"I Simwnt, ein hewyrth," atebodd Siôn. Roedd o'n dechrau anesmwytho oherwydd roedd o'n adnabod wyneb yr hen wraig ond fedrai o yn ei fyw gofio sut chwaith.

Yna, meddai Begw, "A... felly... *hel* coed tân heddiw, nid eu *dwyn*."

A chofiodd Siôn. Wrth gwrs, hen wraig y stondin fêl oedd hi. Yr un roedd o wedi dwyn y crwybr oddi ar ei stondin.

Roedd ar fin dechrau rhedeg eto pan deimlodd law Begw yn cydio'n dynn yn ei fraich. Roedd popeth ar ben arno. Suddodd ei galon. Aeth yn chwys oer drosto a chofiodd am y dyn hwnnw'n eistedd yn y rhigod yn y farchnad, ei freichiau a'i draed ar led a phawb yn chwerthin am ei ben ac yn taflu sbwriel afiach ato. Fo fyddai'n sownd yn y rhigod yn y farchnad nesaf. Anghofiodd bopeth am yr haul a stopiodd y dail sibrwd yn dlws. Ei wawdio roedden nhw rŵan. Teimlai fel petai popeth yn edrych arno, llygaid bach yr ieir yn llosgi trwyddo a mwmian y gwenyn yn dweud y drefn.

"Ie, ti oedd o. Roeddwn i'n meddwl 'mod i'n dy nabod di," meddai Begw.

Ond rywsut, doedd ei llais hi ddim yn gas chwaith, sylwodd Siôn.

"Os gwna i dy ollwng di, wnei di addo peidio rhedeg?" meddai wedyn. "Neu mi fydd yn rhaid i mi hysian y ci ar dy ôl di."

Nodiodd Siôn yn araf. Edrychodd ar Wmffra. Roedd y ci wedi gorwedd wrth draed ei frawd bach i hwnnw gosi ei fol. Bellach, doedd y ci ddim yn edrych yn ffyrnig iawn.

Gollyngodd yr hen wraig Siôn a dweud, "Dewch i eistedd i'r cysgod i fan hyn am funud. Mi faswn i'n dweud y gallech chi'ch dau wneud efo rhywbeth i'w yfed," meddai'n garedig. "Dewch, wna i mo'ch brathu chi. Dydw i ddim 'run fath â Rhacs, yr hen gi yma, wyddoch chi. Er, Duw a ŵyr, dydi Rhacs ddim yn edrych yn ffyrnig erbyn hyn. Sut gwnest ti ei dawelu o fel yna mor sydyn, fachgen?" meddai a chraffu ar wyneb bach pryderus Wmffra.

"Mae… mae'n ddrwg gen i," sibrydodd Siôn, wedi dychryn trwyddo. "Mae'n ddrwg gen i am ddwyn y crwybr a'r medd." Plygodd ei ben mewn cywilydd, yna teimlodd gynhesrwydd corff bach Wmffra yn nesu ato, a'i law yn cyffwrdd â'i ysgwydd.

"Wel, dwn i ddim, mi rwyt ti'n gwybod cystal â mi be sy'n digwydd i ladron," meddai Begw wedyn ac edrych i fyw llygaid Siôn.

Teimlodd yntau'r dagrau'n dechrau pigo. Oedd, wrth gwrs ei fod o'n gwybod beth oedd yn digwydd i ladron. Oni fyddai'n deffro'n chwys oer yng nghanol nos, ac yn ei hunllef byddai bob amser yn y carchar duaf un?

"Ydw…" meddai Siôn.

Yna, trodd Wmffra at Begw. "Ond dydi Siôn ddim yn lleidr go iawn," meddai, a lapio'i fraich am ysgwydd ei frawd mawr. "Dim ond dod â digon o fwyd i'n cadw ni rhag llwgu fydd o. Pcidiwch â mynd â fo i ffwrdd, yn na wnewch?" ymbiliodd, ei lygaid yn fawr ac yn llawn pryder. "Does gen i neb arall. Siôn sy'n gofalu amdana i ers pan mae Mam wedi mynd. Fedra i ddim byw heb Siôn!" gwaeddodd a suddo'i ben yn ysgwydd ei frawd.

Gafaelodd Siôn yn dynn ynddo a'i siglo, fel y byddai ei fam yn arfer ei wneud pan oedden nhw'n fach.

Edrychodd Begw mewn syndod ar y ddau.

"Yn neno'r Tad," meddai wedyn yn dawel. "Be sydd wedi digwydd i chi'ch dau, tybed? Faswn i'n gwneud dim fyddai'n mynd â dy frawd mawr oddi wrthat ti, siŵr iawn, 'ngwas i. Ty'd, Rhacs, mi awn ni i nôl llymaid o laeth i'r ddau."

Cododd Begw'n araf gan fwmian rhywbeth o dan ei gwynt, a diflannodd i'r bwthyn. Cododd Wmffra ei ben. Edrychodd ar Siôn a gwyddai beth oedd yn mynd trwy ben ei frawd mawr. A ddylai'r ddau godi rŵan, a rhedeg? Ond rywsut, doedd Wmffra ddim am adael yr hen wraig garedig, felly ysgydwodd ei ben ar ei frawd.

"Mae hi'n iawn, Siôn, dwi'n gwybod. Mi fydd popeth yn iawn," a cheisiodd wenu ar ei frawd mawr.

Daeth Begw yn ôl a'r ci wrth ei sawdl. Yn ei llaw roedd dwy gwpan fechan bren a'u llond o laeth oer. Llowciodd y ddau frawd y llaeth yn fodlon.

"Wel, pwy sydd am ddechrau?" meddai'r hen wraig ac yno, yn eistedd o dan gysgod yr hen dderwen, y dywedodd y bechgyn eu hanes. Sut y bu i'w mam gael ei chipio gan y milwyr am fod pobl yn dweud mai gwrach oedd hi, am ei bod hi'n mendio pobl, ac nad oedd neb yn gwybod lle'r oedd hi erbyn hyn. Sut y bu'n rhaid i'r ddau wedyn fynd i fyw at eu Hewyrth Simwnt, gan nad oedd neb arall i ofalu amdanyn nhw. Yr unig beth a wyddai'r ddau am eu tad oedd iddo fod yn forwr unwaith ond ei fod wedi marw pan oedden nhw'n fach.

Adroddodd Siôn ei hanes yn gorfod dwyn er mwyn bwydo ei frawd ac yntau, gan nad oedd eu hewyrth yn gofalu amdanyn nhw, a'i fod yn disgwyl i'r ddau fynd allan i chwilio am arian neu fwyd bob dydd. Eisteddodd Begw'n llonydd a thawel am sbel, yn gwrando ac yn nodio weithiau. Yna, cododd yn araf.

"Ac mi rydach chi i fod i hel coed tân i'r hen snichyn Simwnt yna?" meddai wedyn. Sniffiodd yn flin. "Mi geith o goed tân ar draws ei gefn, yr hen gythral iddo fo, taswn i'n cael gafael arno fo!" Safodd am funud yn syllu i fyny tua'r ffordd dros y mynydd, yna meddai'n araf, "Mae'n debyg mai yn y carchar yn Nolgellau mae eich mam druan…" Arhosodd am funud wedyn, cyn troi at y bechgyn a gwenu. "Mi wn i am hen borthmon fydd yn dod heibio ffordd hyn ar ei ffordd dros y mynydd i Ddolgellau. Mi fedra i ofyn iddo fynd ar neges i mi."

Cododd Siôn yn gyflym. "Ydach chi'n meddwl ei bod hi'n dal yno?"

"Fedrwn ni fynd i'w gweld hi?" meddai Wmffra, yn gyffro i gyd.

"Ydi Dolgellau yn bell?" holodd Siôn wedyn.

"Rydan ni'n gry, mi fedrwn ni gerdded, yn medrwn?" meddai Wmffra, a'r ddau yn holi ar draws ei gilydd, wedi'u cyffroi'n lân.

Cododd Begw ei llaw i'w tawelu.

"Arhoswch, fechgyn. Dydan ni ddim yn gwybod mai yn Nolgellau mae hi, ond mi fedr y porthmon holi. Ond cofiwch, tydi carchar Dolgellau ddim yn lle braf, ac yn ôl be rydach chi wedi ei ddweud, mae hi yno erstalwm… Does wybod be fydd wedi digwydd iddi."

Tawelodd ei llais a thawelodd y bechgyn hefyd. Roedden nhw'n gwybod am y carcharorion oedd yn pasio ar eu ffordd i'r llys weithiau. Byddai golwg druenus arnyn nhw, y cadwyni'n dynn am eu dwylo a'u traed, eu coesau noeth yn denau ac yn friwiau i gyd a'u dillad yn garpiog.

Edrychodd y ddau ar ei gilydd, yn ddigalon.

"Ac os mai yn Nolgellau mae hi, yna mi fyddai'n rhaid i ni dalu'n ddrud i'w chael hi allan," meddai Begw wedyn. Ond wrth weld yr olwg ddigalon ar wynebau'r ddau, gwenodd a thynnu'r ddau ati yn ei breichiau. "Ond fechgyn, os ydi'r hen Begw wedi meddwl cael eich mam yn ôl, wel, efo'n gilydd does wybod be fedrwn ni wneud, yn nag oes? Rŵan 'ta, Rhacs, ty'd o 'na, mae gan y ddau yma a finna waith hel coed tân i'w wneud. Aros di yn nrws y bwthyn rhag ofn i rywun ddod heibio a dwyn y crwybr mêl i gyd!"

Chwarddodd Begw dros y lle a rhoi pwniad bach ysgafn i Siôn gan wincio ar Wmffra. Aeth y tri yn eu blaenau ar hyd ffordd y mynydd. Dawnsiodd Wmffra yn ei flaen. Efallai y deuai'r porthmon heibio ar ei ffordd dros y mynydd.

Gorweddodd Rhacs y milgi ar riniog y drws. Rhoddodd un ochenaid fach fodlon, gosod ei bawen dros ei drwyn a chau ei lygaid am y prynhawn.

Pennod 6

Roedd y ddau frawd wedi blino'n lân erbyn iddyn nhw gyrraedd i lawr o'r mynydd gyda'u sachau'n llawn coed. Roedd Begw wedi gadael y ddau ar y mynydd ac wedi mynd yn ei blaen i hel llus, cyn mynd yn ei hôl i'r bwthyn at Rhacs.

"Oes yna goed ar ôl yn rhywle ar y mynydd, deudwch?" holodd yn ysgafn wrth weld y sachau llawnion.

Gallai weld oddi wrth wynebau'r ddau eu bod wedi blino ac roedd y ffaith nad oedden nhw'n cael llawer i'w fwyta yn amlwg. Craffodd ar wyneb bach main Wmffra a choesau tenau Siôn. Gwyddai hi'n iawn am yr hen gybydd Simwnt. Doedd o ddim ffit i gadw ceiliog heb sôn am ofalu am ddau frawd ar eu prifiant. Ysgydwodd ei phen yn flin.

"Dewch i'r tŷ am funud i chi gael rhywbeth i'w fwyta cyn mynd ar eich siwrne," meddai'n garedig.

"Ond mae'n mynd yn hwyr," meddai Siôn. Doedd o ddim am i Simwnt fod yn flin efo nhw, ac o edrych ar yr haul gallai weld ei bod yn mynd yn hwyr.

Ond roedd Begw'n benderfynol.

"Na, dewch i mewn i gael tamaid cyn mynd adre," meddai wedyn a dilynodd y bechgyn hi.

Roedd y bwthyn yn oer, braf ar ôl gwres llethol y prynhawn.

Agorodd llygaid Wmffra a Siôn yn fawr wrth iddyn nhw weld y wledd oedd ar y bwrdd. Doedden nhw ddim yn cofio gweld cymaint o fwyd ar un bwrdd ers yr amser hwnnw pan fu'n rhaid i'r ddau fynd ar neges dros Simwnt i'r Rhiwlas. Yr adeg honno, roedd y ddau wedi cael mynd i mewn i gegin brysur y plasty ac wedi sefyll yno'n gegagored yn syllu ar y bwydydd rhyfeddol, yn basteiod, teisennau a chigoedd o bob math, a ffrwythau nad oedden nhw erioed wedi eu gweld o'r blaen. Roedd un ffrwyth crwn â chroen melyngoch oedd wedi dod yr holl ffordd ar draws y môr, meddai'r cogydd. Ond er fod y ddau frawd wedi sefyll yno am yn hir yng nghegin y Rhiwlas i aros am y negesydd, doedden nhw ddim wedi cael blasu dim. Dim ond sefyll yno, a'r arogl yn cosi eu trwynau ac yn tynnu dŵr i'w dannedd.

Ond heddiw, er nad oedd y wledd yn y bwthyn yn ddim i'w chymharu â honno yn y Rhiwlas, wrth gwrs, roedd Begw wedi gwneud yn siŵr fod digon o fara a chaws a theisennod bach llus a mêl yno iddyn nhw, a digon o laeth oer i'w yfed.

"Gawsoch chi ddigon rŵan?" holodd Begw gan sefyll a'i chefn at y golau.

Er fod ei hwyneb yn dywyll yng nghysgod y drws, gwyddai Siôn oddi wrth ei llais ei bod yn gwenu'n llydan.

"Weles i neb yn bwyta fel chi'ch dau, naddo wir," meddai wedyn dan chwerthin.

Teimlodd Siôn ei hun yn gwrido. Oedden nhw wedi bod yn ddigywilydd, yn sglaffio'r bwyd fel hyn?

Ond meddai Begw gan chwerthin, "Dwi wrth fy modd pan fydd pobl yn bwyta'n iawn, yn lle rhyw bigo!"

Yna arhosodd am funud, a gallai Siôn deimlo bod ei hwyneb yn newid.

Daeth yr hen wraig i eistedd ar y fainc gyferbyn â'r bechgyn.

"Ewch chi adre'n syth rŵan ond dewch yn eich holau cyn y Sul. Mi ddylai'r hen borthmon fod wedi dod heibio erbyn hynny ac mi fydda i wedi cael cyfle i'w holi am y carchar yn Nolgellau."

"Ydach chi'n meddwl bod Mam yn Nolgellau, o ddifri...?" sibrydodd Siôn. Roedd arno ofn holi bron. Beth os nad yno roedd hi? Yna lle fyddai'r milwyr wedi mynd â hi?

"Dwi ddim yn gwybod, 'ngwas i, ond wn i ddim pam y bydden nhw'n mynd â hi ymhellach na Dolgellau chwaith." Edrychodd ar y bechgyn ac ysgwyd ei phen. Roedd yn gas ganddi weld yr olwg bryderus ar eu hwynebau ond gwyddai na ddylai godi dim ar eu gobeithion chwaith. "Ond cofiwch rŵan, fydd eich mam ddim wedi cael lle braf, lle bynnag y bydd hi, felly…" a meddalodd ei llais, "rhaid i chi fod yn hogiau dewr."

Yna cododd yn sydyn.

"Ewch rŵan, am adre, ac os gofynnith y snichyn Simwnt yna wrthach chi lle buoch chi mor hir, deudwch wrtho eich bod chi wedi bod yn hel coed tân i'r hen Begw hefyd." Chwarddodd. "Mae ganddo fo dipyn o fy ofn i, neu o leiaf mi ddylia fod ganddo fo, achos dwi'n gwybod ambell i beth amdano fo…"

Rhedodd y ddau frawd orau fedren nhw i lawr ffordd y mynydd, gan lusgo'r sachau coed tân ar eu holau. Erbyn iddyn nhw gyrraedd bwthyn Simwnt roedd yr haul wedi suddo'n belen goch y tu ôl i'r Arennig Fawr.

"Rhaid i mi fynd i weld yr ŵydd," meddai Wmffra.

"Na, Wmffra, ddim rŵan, mae hi'n rhy hwyr ac mi fyddi di mewn helynt ofnadwy. Ty'd," meddai Siôn, a llusgo ei frawd bach tua'r llwybr.

"Ond mi fydd hi'n llwgu, ac edrych, mi gadwes i ddarn o grystyn iddi," meddai'r bychan wedyn, ond doedd Siôn ddim yn gwrando.

Weithiau, byddai eisiau amynedd mynach efo Wmffra. Doedd Siôn ddim am fynd i helynt efo Simwnt am fod ei frawd bach mor benderfynol.

"Na, a dyna'i diwedd hi. Mi awn ni at yr ŵydd yn y bore ac mi fydd yn rhaid i ti fynd â hi yn ei hôl at y lleill. Mae ei throed hi siŵr o fod wedi mendio rŵan," meddai'n bendant.

"Ond…" ceisiodd Wmffra ond roedd o wedi gweld yr olwg ar wyneb Siôn a gwyddai mai fo oedd yn iawn am y tro, felly dilynodd ei frawd mawr i lawr y llwybr tua'r bwthyn.

Roedd Simwnt yn hanner gorwedd ar y fainc wrth y lle tân tywyll, ei lygaid ynghau, a gallai Siôn glywed arogl cwrw yn llenwi'r ystafell. Diolch byth, meddyliodd, roedd eu hewyrth yn rhy feddw i ddeall eu bod yn hwyr. Gallen nhw sleifio i fyny i'r groglofft cyn iddo sylwi. Gwnaeth Siôn arwydd ar ei frawd i ddringo'r ysgol yn dawel, a dilynodd yntau. Ond fel roedd ei goesau ar fin diflannu o'r golwg, daeth y waedd.

"Aha! Trio dianc, ie?"

Neidiodd Siôn a rhoi arwydd ar i'w frawd bach swatio, yna trodd yn ei ôl i wynebu ei ewyrth.

"Ble buest ti mor hir, a ble mae'r cythrel brawd bach yna?" gwaeddodd Simwnt.

"Mae Wmffra yn ei wely ers meitin," ceisiodd

Siôn, "... a dwinna am fynd rŵan, ym... wedi bod yn edrych os oedd y ceiliog yn iawn... meddwl i mi glywed sŵn..."

"Y ceiliog!" gwaeddodd Simwnt a cheisio codi ar ei draed, ond disgynnodd yn ei ôl yn glewt. "Y ceiliog? Be oedd yn bod arno fo? Oes yna lwynog?" bloeddiodd eto, a llwyddodd i godi ar ei draed sigledig a rhuthro am y drws.

Wedi iddo gael ei fodloni bod ei geiliog, y pencampwr, yn ddiogel, daeth Simwnt yn ei ôl, a gallai Siôn ei weld trwy'r twll yn ceisio cerdded yn ôl i'w gornel. Ond cyn iddo setlo ar y fainc ac ailgydio yn ei gwpan gwrw, rhoddodd Simwnt ei law y tu mewn i'w grys a thynnu rhywbeth allan. Chwarddodd yn dawel a sibrwd rhywbeth wrtho'i hun, yna dechreuodd lusgo'r hen gist dderw o'i lle wrth ymyl y wal. Gwyliodd Siôn o yn ymbalfalu yn y tywyllwch. Beth oedd o'n ei wneud? Gallai glywed sŵn carreg yn symud a sŵn rhywbeth tebyg i arian yn disgyn. Ond roedd yr ystafell yn rhy dywyll i Siôn weld dim yn iawn.

Rhegodd Simwnt o dan ei wynt a gwelodd Siôn ei ewyrth yn plygu'n drafferthus fel petai'n chwilio am rywbeth. Yna, cododd Simwnt y peth roedd o'n chwilio amdano yn ei law a chwerthin. Yr eiliad honno, llifodd golau'r lleuad i mewn trwy'r drws agored a disgleirio ar y sofren fawr felen yn llaw ei ewyrth. Sofren aur! Tynnodd Siôn ei wynt ato – o ble ddaeth y sofren aur? Gwyliodd wrth i Simwnt roi'r sofren mewn pwrs a gwelodd ei ewyrth yn gwthio'r pwrs i'r twll. Clywodd y garreg yn disgyn i'w lle a'r gist yn cael ei gwthio'n ôl at y wal. Fedrai Siôn ddim credu ei lygaid. Sofren aur go iawn! Tybed beth arall oedd gan Simwnt yn ei guddfan? Rasiodd meddwl Siôn.

Roedd ar fin eistedd yn ei ôl ar y gwely gwellt wrth ochr ei frawd i gael meddwl mwy am yr hyn a welodd pan ddaeth pelydryn arall o arian i oleuo corneli tywyll y bwthyn. Yno, yn y gornel bellaf ger y lle tân, sylwodd Siôn ar dwmpath o rywbeth gwyn ar y llawr. Twmpath o blu gwyn, meddal yn ddisglair yng ngolau'r lleuad. Edrychodd Siôn ar wyneb ei frawd bach a suddodd ei galon. Gwenodd yn wan arno – sut yn y byd roedd o'n mynd i ddweud wrth Wmffra?

Pennod 7

Roedd Wmffra allan yn bwydo'r ceiliog du. Gallai Siôn ei glywed wrthi'n siarad â'r aderyn. Aeth ias i lawr ei gefn – roedd yn gas ganddo'r hen greadur milain. Bob tro y byddai Siôn yn mynd yn agos ato, roedd y ceiliog yn codi ei wrychyn, yn clochdar yn uchel ac yn taflu ei hun at ochr y cawell i geisio ei bigo. Ond roedd Wmffra yn cael agor y cawell a rhoi ei law ar blu yr aderyn mawr du, heb i hwnnw gynhyrfu dim. Gallai Siôn glywed ei frawd yn siarad, ei lais yn isel a meddal.

"Ty'd o 'na, ty'd i mi weld dy blu di, dyna ni, mae'r briwiau'n gwella rŵan, yn tydyn."

Yna dechreuodd Wmffra chwibanu a dechreuodd y ceiliog wneud synau bach doniol. Clywodd Siôn ei frawd bach yn chwerthin yn uchel. Roedd fel petai pob creadur yn y byd yn tawelu wrth weld Wmffra. Dyna oedd dawn eu mam hefyd – roedd Wmffra mor debyg iddi ym mhob ffordd. Calon feddal, yn ceisio mendio pob creadur byw, a'r llygaid mawr gleision yn llawn cydymdeimlad.

Brysiodd Siôn. Roedd am gael gwared o'r plu

gwynion cyn i Wmffra eu gweld. Brwsiodd nhw i mewn i sach mor gyflym ag y gallai. Rywsut, roedd wedi llwyddo i wthio Wmffra allan at y ceiliog cyn iddo weld y plu. Byddai Siôn yn dewis yr amser i ddweud wrtho am yr ŵydd.

Roedd Siôn yn casáu ei ewyrth yn fwy nag erioed. Mae'n rhaid ei fod wedi dod o hyd i'r ŵydd yn y beudy a meddwl y byddai pris da i'w chael am un fawr dew fel honno. Byddai wedi rhoi tro yn ei gwddw, ei phluo a'i gwerthu i un o'r ceginau yn y tai mawr o gwmpas yr ardal. Dyna'r arian roedd o'n ei guddio neithiwr, mae'n siŵr, meddyliodd Siôn. Er, fyddai o byth wedi cael sofren aur am un ŵydd chwaith, meddyliodd wedyn. Swllt, efallai, os oedd o'n lwcus, ond nid sofren aur.

Roedd Siôn ar fin codi, wedi gorffen ei waith, pan ddaeth Wmffra yn ei ôl i'r ystafell dywyll.

"Mae'r ceiliog yna'n un doniol 'sti, Siôn. Dwi'n meddwl ei fod o'n gallu siarad. Glywaist ti o rŵan, yn gwneud synau bach wrth i mi chwibanu?"

"Do, mae'n siŵr mai diolch i ti roedd o, am fendio ei friwiau o efo'r eli yna." Ceisiodd Siôn guddio'r sach y tu ôl i'w gefn.

"Be ti'n neud?" holodd Wmffra.

"O, dim ond llnau dipyn, yli. Roedd Simwnt wedi colli rhywbeth ar y llawr neithiwr. Roedd o'n chwil

yn doedd, rhyw bot pridd neu rywbeth wedi torri,"
meddai.

"Welest ti Simwnt bore 'ma?" holodd Wmffra.

"Naddo, dim ond sylwi ar y llanast pan ddois i
lawr o'r llofft wnes i," meddai Siôn ac aeth heibio i
Wmffra ac allan am y drws.

Diolch byth, meddyliodd, roedd o wedi medru
cuddio hynny oddi wrth ei frawd bach. Pan fyddai
Wmffra'n mynd i lawr i chwilio am yr ŵydd,
byddai'n haws dweud ei bod wedi dianc na'i bod
wedi ei lladd. Stwffiodd Siôn y sach i fôn y clawdd
a rhoi carreg drom drosti. Mi fyddai'n mynd i'w
chuddio'n iawn wedyn.

Ond cyn iddo fedru mynd yn ei ôl i'r bwthyn,
clywodd floedd Wmffra. Rhuthrodd yn ei ôl i
mewn ac yno'r oedd Wmffra, ei wyneb yn wyn fel y
galchen. Roedd yn edrych i fyny ar y nenfwd.

"Edrych, edrych be sy'n fan'na," meddai ei frawd
bach, ac yno ar y bachyn roedd adain gŵydd, adain
wen, lân. Rhuthrodd i'r gornel lle bu Siôn yn sgubo,
a chwilio yn y pridd ar y llawr am funud, cyn codi
pluen wen yn ei law.

"Be oedd gen ti yn y sach, Siôn?" meddai a'i
lygaid yn craffu ar ei frawd mawr. "Be mae Simwnt
wedi neud?" gwaeddodd wedyn.

"Do'n i ddim eisiau i ti eu gweld nhw, Wmffra…"

ceisiodd Siôn, ond cyn iddo fedru dweud dim arall roedd Wmffra wedi rhuthro heibio i'w frawd mawr.

Rhedodd i lawr y llwybr, trwy'r giât a tharanu i lawr y ddôl i gyfeiriad y beudy. Wrth iddo nesáu gallai weld bod y drws ar agor. Arhosodd Wmffra'n stond a daeth Siôn i sefyll wrth ei ymyl, ei wynt yn ei ddwrn.

"Paid â mynd i mewn," meddai Siôn. "Gad i mi fynd yn gyntaf."

Gwthiodd Siôn heibio iddo. Roedd y beudy'n dywyll, dywyll. Ond wedi i'w lygaid gynefino, sylwodd Siôn ar y dafnau bach o waed oedd wedi suddo i'r llawr pridd wrth y drws ac olion traed mawr yn y llwch.

Aeth allan a thynnu Wmffra ar ei ôl i fyny at y llwybr. Os oedd rhywun wedi gweld Wmffra yn mynd â'r ŵydd, fe allai ei frawd bach fod mewn helynt mawr. Roedden nhw wedi meddwl mynd â'r ŵydd yn ôl wedi iddi fendio, wrth gwrs, ond rŵan, a Simwnt wedi ei lladd, fedren nhw wneud dim.

"Ble cest ti'r ŵydd, Wmffra?" holodd, ond roedd y bychan wedi mynd o'i flaen a gallai ei glywed yn igian crio.

Arhosodd Wmffra am funud i sychu ei ddagrau ar lawes ei grys.

"Wmffra, gwranda, rhaid i ti ddangos i mi lle cest ti'r ŵydd," meddai Siôn wedyn.

Nodiodd Wmffra a dilynodd Siôn ei frawd bach i lawr y ffordd drol tua Llanfor.

"Ar dir y Rhiwlas oedd hi?" holodd Siôn wedyn, a'r ofn yn dechrau gwneud i'w stumog droi.

Ond wnaeth Wmffra ddim aros, dim ond rhedeg yn ei flaen ar hyd yr afon nes iddyn nhw gyrraedd corlan fawr, ac yno'n clegar a ffraeo roedd haid o wyddau.

"Dyma nhw," meddai Wmffra, "yn fan hyn roedd hi. Roedd ei throed wedi mynd yn sownd mewn cortyn ac mi roedd y gwyddau eraill yn trio ei lladd hi, a rŵan…" Dechreuodd y dagrau wthio i'r golwg eto. Yna, arhosodd Wmffra ar hanner dweud rhywbeth. Rhoddodd naid dros y giât fel ei fod i mewn efo'r gwyddau.

"Wmffra, ty'd allan! Ty'd, cyn i rywun dy weld di!" gwaeddodd Siôn, ond roedd Wmffra'n rhedeg trwy'r gwyddau a'r rheiny'n clegar a hisian a'u hadenydd mawr gwyn yn agor fel cymylau yn bygwth storm.

"Wmffra, ty'd yn ôl!" bloeddiodd Siôn, ond roedd Wmffra wedi aros a gallai Siôn ei glywed yn chwerthin dros y lle. Gwyliodd ei frawd yn troi i'w wynebu ac yn chwifio ei freichiau arno i'w alw i ddod draw.

"Siôn, dyma hi, ty'd i weld!" galwodd Wmffra.

"Dyma hi, hon ydi fy ngŵydd i, edrych, mae'r rhwymyn yn dal ar ei throed hi!"

Y funud honno, daeth gwaedd o gyfeiriad y ffordd drol.

"Hei! Be wyt ti'n ei wneud yn fan'na? Paid ti â meiddio cyffwrdd yn un o'r rheina, neu o flaen dy well fyddi di. Dwi wedi colli un ŵydd neithiwr yn barod…"

Daeth dyn bach crwn i'r golwg, yn chwifio clamp o ffon. Roedd Siôn yn gwybod am hwn – un o weision y Rhiwlas oedd o, ac un byr iawn ei dymer yn ôl y sôn.

"Dim byd, syr, wir, dim ond…"

"Dim ond be, y cythrel bach? Wedi meddwl dod i ddwyn un o'r gwydda oeddet ti, ie? Mi wn i am rai fel chi… Hei, mi wn i pwy wyt ti! Ti sy'n byw efo'r hen Simwnt gythrel yna, yntê? Be 'di dy enw di rŵan?"

"Siôn, syr!"

Roedd Siôn wedi dychryn am ei fywyd. Roedd o eisiau i'w frawd bach swatio yng nghanol y gwyddau. Ceisiodd edrych heibio i was y Rhiwlas, rhag ofn y gallai weld lle'r oedd ei frawd, a'i rybuddio, ond fedrai o mo'i weld yn unman.

"Siôn, ie? Mi gei di 'Siôn, syr' ar draws dy gefn os gwela i di yn agos at y gwydda yma eto!" meddai'r gwas, a dyna pryd y sylwodd Siôn ar un ŵydd yn symud yn herciog at ymyl y giât.

Yn rhyfedd iawn, edrychai fel petai ganddi bedair coes. Gwenodd Siôn wrth weld Wmffra'n codi o'r tu ôl i'r ŵydd, yna'n neidio dros y giât yn gyflym ac yn rhedeg fel milgi i fyny'r ffordd drol.

"Iawn, syr!" meddai Siôn, ei ben wedi'i ostwng yn wylaidd.

"Ac os dalia i'r lleidr aeth â'r ŵydd yna neithiwr, mi fydd y diawl yn y rhigod yn nhre'r Bala diwrnod marchnad nesa, yn ddigon siŵr!" gwaeddodd y gwas wrth weld cefn Siôn yn diflannu heibio'r tro yn y ffordd.

Pan gyrhaeddodd Siôn ei frawd, roedd hwnnw'n pwyso'n erbyn carreg fawr ar ochr y ffordd yn cael ei wynt ato ac yn gwenu fel giât.

"Mae'n rhaid ei bod hi wedi dianc a bod Simwnt wedi ei dilyn hi yn ei hôl at y gwyddau eraill," meddai Siôn.

"Wel, beth bynnag wnaeth o, diolch byth nad ein gŵydd ni wnaeth o ei dal," meddai Wmffra, ei lygaid gleision yn dawnsio.

"Ie, ond os daw rhywun i wybod bod Simwnt wedi dwyn un o wyddau'r Rhiwlas, mi fydd o mewn helynt dros ei glustiau," meddai Siôn.

Gwenodd Wmffra wedyn.

"Dwi'n gwybod pwy fydd y cyntaf i daflu wy drwg ato fo os bydd yn rhaid iddo fo fynd i'r rhigod yn y farchnad, beth bynnag!" meddai, a chwarddodd y ddau yr holl ffordd adre.

Pennod 8

Ddywedodd yr un o'r ddau yr un gair wrth Simwnt am y gwyddau, nac am fygythiad gwas y Rhiwlas. A phan ofynnodd Simwnt i Siôn beth roedd o wedi ei wneud â'r plu oedd yn y gornel, aeth Siôn i nôl y sach a'i rhoi iddo. Synnodd Siôn wrth glywed ei ewyrth yn diolch iddo am y plu. Byddai plu gwynion, meddal fel y rhain yn werth ambell geiniog, mae'n debyg. Efallai mai dyna oedd y rheswm pam roedd hwyliau gwell nag arfer ar eu Hewyrth Simwnt y dyddiau hyn – roedd arian yr ŵydd yn llosgi twll yn ei boced. Ond beth bynnag oedd y rheswm am ei hwyliau da, roedd y ddau frawd yn cael llonydd i grwydro yma ac acw, heb lygaid Simwnt yn eu gwylio bob munud.

Aeth rhai dyddiau heibio er pan fu'r bechgyn yn hel coed tân ac roedd y ddau'n pendroni a ddylen nhw fynd i fyny at ffordd y mynydd i weld Begw. Ond roedd hi'n ddiwrnod marchnad unwaith eto, ac efallai y byddai Begw'n pasio. Roedd Simwnt wedi cychwyn i rywle ers ben bore, ond doedd o ddim wedi mynd â'r cawell na'r ceiliog du gydag o heddiw.

Mae'n rhaid na fyddai talwrn paffio ceiliogod yn y farchnad heddiw felly. Doedd Siôn nac Wmffra ddim am fentro i lawr am y farchnad rhag ofn iddyn nhw ddod wyneb yn wyneb â gwas y Rhiwlas eto.

Bu'r ddau'n chwilio pyllau'r nant am bysgodyn am sbel, cyn blino ar hynny. Yna, penderfynodd y ddau fynd i fyny am y ffordd drol rhag ofn y bydden nhw'n gweld Begw yno, neu un o'r porthmyn efallai. Doedd Siôn ddim yn siŵr oedd o am weld Begw chwaith. Beth os mai newyddion drwg fyddai ganddi iddyn nhw? Ceisiodd wthio'r amheuon o'i ben, a rhoddodd bwniad chwareus i'w frawd bach a dechrau rhedeg i fyny'r allt tua'r ffordd. Yna, fel roedd Wmffra yn ei ddal, sylwodd Siôn ar rywun yn eistedd ym môn y clawdd. Brysiodd yn ei flaen. Begw oedd yno, yn cael hoe fach ar ei ffordd o'r farchnad, a'i basgedi mêl ar y llawr wrth ei thraed.

"Roeddwn i wedi disgwyl dy weld yn y farchnad, Siôn," meddai Begw a rhuthrodd y milgi main i'w cyfarfod gan lyfu Wmffra nes bod hwnnw'n gwichian.

"Gad lonydd i'r hogyn druan, wnei di? Rhacs, ty'd yma, gi gwirion!" meddai'r hen wraig. "Ble buoch chi? Dwi wedi bod yn chwilio amdanoch chi'ch dau."

Roedd Begw'n straffaglu i geisio codi a rhuthrodd

Siôn i helpu'r hen wraig. Sythodd yn sigledig ac yna edrych ar y bechgyn a gwenu.

"Mae gen i newyddion i chi'ch dau," meddai.

"Newyddion da, Begw?"

Daeth cysgod gwên i'w hwyneb.

"Ella wir, ella wir, fachgen," meddai Begw a rhoi arwydd ar i'r ddau ddod yn nes i wrando.

Gwrandawodd y ddau frawd heb yngan yr un gair, nes bod Begw wedi dweud hanes y porthmon yn dod yn ei ôl o Ddolgellau gyda'i newydd.

"Ond ydi'r porthmon yn siŵr mai Mam oedd hi?" holodd Siôn, a'i lygaid yn chwilio wyneb yr hen wraig yn daer.

"Wel, y cwbwl ddywedodd o oedd fod yna wraig tua'r un oed â'ch mam yno, yn ôl y ceidwad. Doedd hwnnw ddim yn cofio o ble roedd hi wedi dod, dim ond mai Gwerfyl oedd ei henw hi."

"Ie, ie, Gwerfyl ydi enw Mam, Gwerfyl Fychan," meddai Siôn yn gynhyrfus. "Ydi hi'n iawn, Begw?"

"Dwn i ddim, Siôn," meddai'r hen wraig yn dawel, ac yna esboniodd sut roedd y porthmon wedi cael y newyddion. "Doedd o ddim wedi gweld eich mam, dim ond holi ceidwad y carchar wnaeth o. Roedd hwnnw'n digwydd bod yn un o dafarndai Dolgellau ac roedd y porthmon wedi prynu digon o ddiod iddo fo fel ei fod o'n medru ei gael o i siarad, 'sti."

Neidiodd Wmffra ar ei draed yn wyllt, gan gydio ym mraich Siôn a cheisio'i dynnu tua'r ffordd a fyddai'n eu harwain tua Dolgellau.

"Dewch, rhaid i ni fynd felly. Ty'd, Siôn, rhaid i ni fynd i'w nôl hi adre!" gwaeddodd.

Ond aros yn ei hunfan wnaeth yr hen wraig. Edrychodd Siôn ac Wmffra arni a daeth golwg drist i'w hwyneb. Yn sydyn, roedd Begw'n difaru ei bod wedi dweud y newyddion wrth y bechgyn. Pa werth oedd iddyn nhw wybod lle'r oedd eu mam, a hithau dan glo? Teimlai'n euog. Roedd hi wedi codi eu gobeithion. Fedren nhw byth ddod o hyd i ffordd o gael Gwerfyl yn ôl adre, nid a hithau wedi ei rhoi mewn carchar am wneud swynion a rheibio.

"Fedrwn ni ddim ei nôl hi adre, Wmffra. Yn y carchar mae hi." Ysgydwodd yr hen wraig ei phen yn ddigalon. "Dydi pobl ddim yn dod allan o'r carchar ar chwarae bach."

"Ond mi fedrwn ni… mi fedrwn ni… mi fedrwn ni fynd i ofyn i'r ceidwad," ceisiodd Wmffra, ond gwyddai nad oedd yr hyn roedd o'n ei gynnig yn gwneud synnwyr. Edrychodd ar wyneb ei frawd, oedd yn un cwlwm tyn.

"Hyd yn oed petai'r ceidwad yn fodlon gwrando arnon ni," meddai Begw wedyn, "mi fyddai o'n siŵr o ofyn am swm mawr o arian cyn y byddai o'n meddwl ei rhyddhau hi. A does gen i ddim hyd yn oed grôt i'w gynnig iddo fo."

Yna gwyliodd Wmffra wrth iddo weld gwên fawr yn lledu ar wyneb ei frawd. Roedd hi'n amlwg fod Siôn wedi cael syniad.

"Be, Siôn?" holodd Wmffra.

"Mi wn i lle cawn ni arian!" meddai Siôn, cyn rhuthro i olwg y ffordd i edrych a welai Simwnt yn rhywle.

"Paid ti â meiddio dwyn, Siôn bach, neu yn y carchar efo dy fam fyddi di, cofia, ac wedyn mi fyddai'n rhaid i Wmffra a finna drio cael digon o arian i gael dau ohonoch chi adre," meddai Begw'n sydyn. Doedd hi ddim am weld mwy o helynt yn dod i ran y bechgyn. Gwyddai fod angen swm mawr o arian i ryddhau rhywun o garchar – fyddai ychydig sylltau yn dda i ddim.

"Na, mae popeth yn iawn, Begw, dwi'n gwybod lle cawn ni arian!" meddai Siôn wedyn yn bendant. "Rŵan 'ta, dwi am i chi gychwyn yn ôl am eich bwthyn, Begw, a mynd â Rhacs efo chi. Mi ddown ni ar eich ôl chi wedyn, os cawn ni – mae'n debyg y bydd angen lle i guddio ar Wmffra a finna heno, os fedra i gael hyd i'r arian."

"Ond os byddi di wedi cymryd arian rhywun heb ganiatâd, mi fyddi di'n siŵr o gael dy ddal, a be ddaw o Wmffra wedyn?" meddai'r hen wraig a'i llais yn llawn gofid. O, pam y bu hi mor wirion â sôn am eiriau'r porthmon?

"Peidiwch â phoeni, Begw," meddai Siôn wedyn, a gwenu. "Os ca' i fy nal, wnaiff Simwnt fyth feiddio dweud wrth neb. Byddai'n rhaid iddo fo gyfaddef mai wrth ddwyn gŵydd fawr y Rhiwlas y cafodd o'r arian – a dydi o ddim yn ddigon gwirion i gyfaddef hynny!"

Chwarddodd Siôn a dweud hanes yr ŵydd wrth Begw, a sut y bu iddo weld Simwnt yn cadw'r arian y tu ôl i'r gist yng ngolau'r lleuad. Agorodd llygaid Wmffra'n fawr.

"Wel, dos i nôl yr arian rŵan, Siôn," meddai Wmffra.

"Na, aros," meddai Siôn. Gwyddai na fyddai Simwnt yn hir iawn eto. Byddai'n rhaid iddyn nhw fod yn ofalus – yn gyflym ond gofalus.

"Ty'd ti i wylio'r ffordd, Wmffra, a Begw, ewch chi yn eich ôl. Mi fedr Wmffra a finna redeg, ond…"

"Ie, wn i," meddai Begw. "Gwell i mi fynd cyn belled ag y galla i, ac os daw o i'r golwg, peidiwch â chymryd arnoch eich bod chi'n fy nabod i o gwbwl," meddai. Cododd ei basgedi mêl yn araf a chychwyn yn herciog tua ffordd y mynydd.

"Wmffra, dos dithau i wylio, a chofia roi chwibaniad os gweli di rywun yn dod!"

Rhuthrodd Siôn i mewn i'r ystafell fach dywyll a thynnu'r gist oddi wrth y wal, ond fedrai o weld dim, dim ond rhes o gerrig cymesur, pob un yn edrych yn sownd.

Gallai glywed Wmffra'n siarad â'r ceiliog du o ben y wal wrth dalcen y bwthyn. O'r fan honno gallai weld y ffordd i lawr am y dyffryn yn glir. Roedd Siôn yn chwys diferol. Ceisiai dynnu un garreg ar ôl y llall ond roedd pob un fel ei gilydd yn hollol sownd. Dechreuodd amau ei hun − tybed ai breuddwydio wnaeth o, breuddwydio gweld Simwnt yn estyn y sofren aur? Na, roedd o'n siŵr ei fod wedi gweld sofren yn llaw ei ewyrth ac wedi ei weld yn gwthio pwrs lledr i mewn i dwll yn y wal, ond ble'r oedd y twll? Teimlai ei galon yn curo a daeth y chwys eto i redeg i lawr ei gefn. Yna, pan oedd o ar fin anobeithio, sylwodd ar un garreg lai na'r lleill ar waelod y wal. Doedd dim llwch arni ac roedd ei hymyl yn gwthio'r ychydig lleiaf allan yn fwy na'r lleill. Gwthiodd un gornel iddi a rhoddodd ei galon lam. Daeth y garreg yn rhydd a llithro allan o'i lle.

Yr eiliad honno, clywodd sŵn chwibanu Wmffra. Roedd Simwnt yn ei ôl! Gwthiodd Siôn ei law i mewn i'r twll ond roedd yr agoriad yn ddwfn a bu'n rhaid iddo ymestyn i geisio cael ei fraich ymhellach. Daeth y chwibaniad yn uwch, yn fwy croch. Gwyddai fod Simwnt yn nesáu ond doedd o ddim am ildio rŵan. Gwthiodd ei fraich a theimlo ymyl y pwrs lledr â'i fysedd. Un gwthiad eto a chaeodd ei fysedd am y pwrs. Roedd y pwrs ganddo, o'r diwedd!

"Hei, be gythrel?!"

Daeth siâp tywyll Simwnt i lenwi'r drws, a chyn i Siôn gael cyfle i godi roedd Simwnt uwch ei ben. Gallai Siôn weld y llygaid ffyrnig, atgas yn fflachio, y dannedd duon fel rhes o ddur a'r gwallt seimllyd wedi gludo ar ei dalcen, ei wyneb yn borffor blin.

"Be gythrel wyt ti'n ei wneud?" rhuodd Simwnt uwch ei ben.

Yna, anelodd gic at Siôn, ond rywsut rhowliodd Siôn o ffordd y droed fawr. Rhuodd Simwnt eto. Gallai Siôn weld ei ffroenau'n agor a'i ben yn gostwng, yn union fel petai am ruthro amdano. Gwyliodd ei ddyrnau fel peli dur yn nesáu ac yn taro'r awyr uwch ei ben. Roedd Siôn wedi ei gornelu; doedd ganddo unlle i ddianc, yno a'i gefn yn erbyn y wal a'r horwth mawr yn dod amdano fel tarw mewn ymladdfa. Roedd hi ar ben arno. Gafaelodd yn dynn yn y pwrs a chau ei lygaid i aros am y gic gyntaf.

Yna, clywodd sŵn clochdar uchel rywle uwch ei ben a llais bach Wmffra yn gweiddi "Amdano fo, hys, hys, lladd o! Piga fo, amdano fo, ia, dyna fo, YMOSOD!"

Yn gymysg â gweiddi Wmffra roedd llais Simwnt yn rhuo, "Aw, na, paid! Dalia fo! Dos o 'ma, gad lonydd…"

Agorodd Siôn ei lygaid i weld y ceiliog mawr du yn glanio ar ben ei ewyrth a'i bigo trwy ei wallt, ei grafangau'n cydio yn ei wyneb a Simwnt yn dawnsio, ei freichiau'n chwifio fel brigau a'i ben yn waed i gyd.

"Ty'd, Siôn!" bloeddiodd Wmffra.

Cododd Siôn fel mellten a dilyn ei frawd bach trwy'r drws. Caeodd y drws ar ei ôl a gadael Simwnt yno yn y bwthyn, a'r ceiliog mawr du, y pencampwr, yn meddwl mai clamp o geiliog mawr hyll oedd ei elyn. Doedd y ceiliog du ddim wedi colli ymladdfa hyd yn hyn. Wrth bellhau oddi wrth y bwthyn, gallai'r ddau frawd glywed bloeddio Simwnt a'r ceiliog yn clochdar dros y wlad.

Rhedodd y ddau i fyny'r ffridd gan gadw oddi ar y ffordd nes iddyn nhw fynd yn ddigon pell. Yna, croesodd y ddau at ffordd y mynydd i aros am Begw.

Tynnodd Siôn y pwrs o'r tu mewn i'w grys. Roedd o'n teimlo'n drwm. Agorodd y cortyn oedd yn cau ceg y pwrs a'i godi er mwyn i'r arian ddisgyn

i'w law. Ond nid un sofren aur oedd yno, ond…
un, dwy, tair, pedair, pump, chwech! Chwe sofren
aur! Edrychodd y ddau ar ei gilydd. Doedden nhw
erioed wedi gweld cymaint o arian! Roedd y ddau
wedi dychryn gormod i ddweud gair am funud, yna
dechreuodd Wmffra chwerthin a neidio a rhowlio a
gwneud tin dros ben ar y gwair. Yna, cyfrodd Siôn y
sofrenni eto, cyn eu cadw'n ôl yn y pwrs yn ofalus.
Daeth teimlad cynnes, braf drosto.

Yna, dechreuodd feddwl. Nid arian yr ŵydd oedd y
rhain. Fyddai'r un ŵydd, waeth pa mor dew, yn werth
chwe sofren. O ble yn y byd yr oedd Simwnt wedi
cael yr holl arian, felly? Rhoddodd Siôn chwerthiniad
bychan wrth gofio am wyneb Simwnt a phlu'r ceiliog
yn chwifio o amgylch ei ben. Plu? Yna goleuodd ei
wyneb. Wrth gwrs, y dyn dieithr a'r het gantel lydan
a'r bluen goch yn chwifio yn y gwynt. Roedd o wedi
estyn rhywbeth i Simwnt. Tybed? Ond pwy oedd y
dyn hwnnw? A pham y byddai'n rhoi sofrenni aur
i'w ewyrth?

Roedd o wrthi'n pendroni pan ddaeth Begw i'r
golwg. Gwenodd yr hen wraig wrth weld bod y
bechgyn wedi cyrraedd.

"Wel?" holodd.

"Newyddion da, Begw!" bloeddiodd Wmffra
a neidio din dros ben a glanio ar ei ben ôl mewn
twmpath o eithin pigog.

Pennod 9

"Ond ble yn y byd y cafodd Simwnt chwe sofren aur?" gofynnodd yr hen wraig a'i llygaid fel dwy seren.

Roedd y darnau arian yn eistedd yn dwt ar fwrdd y gegin a'r tri'n sefyll uwch eu pennau yn syllu arnyn nhw fel petai'r sofrenni am godi unrhyw funud fel pryfaid bach disglair a hedfan i ffwrdd.

"Dwn i ddim yn iawn," meddai Siôn. Roedd ei feddwl o'n dal i fynnu mynd yn ôl at y dyn dieithr hwnnw, a chofiodd hefyd am y cleddyf a'r carn trwm, a'r cerrig gwerthfawr yn disgleirio yn yr haul. Pwy oedd y dyn?

"Begw?" meddai. Tybed fyddai'r hen wraig yn gwybod pwy allai'r dyn fod? Ond roedd Wmffra yn dal i neidio fel ceiliog y rhedyn o'u cwmpas.

Cydiodd y bychan ym mraich Begw'n sydyn a gofyn, "Ydach chi'n meddwl bod hyn yn ddigon o arian i gael Mam o'r carchar?"

"'Rargian ydi, siawns! Mae chwe sofren aur yn ffortiwn!" chwarddodd Begw. "Ond dwyt ti ddim i ddweud wrth neb faint o arian sydd gen ti, cofia,

Siôn," meddai hi wedyn yn ffyrnig. "Mae'r ffordd dros y mynydd i Ddolgellau yn ddigon peryglus."

Yna, trodd Begw'n sydyn, fel petai hi'n datod ei hun oddi wrth hud y sofrenni.

"Ty'd â dy grys i mi, Siôn," meddai'n sydyn.

"I be? Does gen i ddim crys arall, dim ond hwn!" meddai Siôn, "ond ella y medra i brynu un newydd rŵan!" Chwarddodd.

"Na, tynna dy grys yn sydyn. Mi wna i wnïo tamaid o ddefnydd fel poced ffug y tu mewn i dy grys di," meddai wedyn, ac estyn am ei nodwydd ac edau. "Mae'r hen Wylliaid yna yn dal o gwmpas w'sti."

Tynnodd Siôn ei grys a gwylio bysedd chwim Begw'n gwnïo darn o ddefnydd yng ngwaelod y dilledyn. Rhoddodd Wmffra'r sofrenni yn ôl yn y pwrs a chlymu'r cortyn yn dynn, cyn ei roi i Begw i wneud yn siŵr fod popeth yn iawn. Ailwisgodd Siôn ei grys a gwthio'r pwrs gyda'r sofrenni i mewn i'r boced ffug.

"Dyna ti, mi ddylai'r rheina fod yn saff rŵan," meddai Begw'n fodlon.

"Pryd bydd y porthmon yn pasio?", gofynnodd Wmffra am y canfed tro.

"Mi ddaw toc rŵan i ti, mi fydd o eisiau cyrraedd Arennig cyn nos, ac mae'r haul yn iselhau…"

Aeth Begw i ben y drws i edrych draw ar yr haul

yn suddo'n araf. Roedd hi'n noson braf a'r grug yn troi'n lliw porffor tlws draw ar y llethrau. Roedd hi'n dawel braf, dim ond sŵn y gwynt yn sisial yn ysgafn trwy'r dail a'r ieir yn crafu ac yn clwcian yn fodlon o amgylch y bwthyn. Gwyddai na fyddai'r porthmon yn hir. Daeth ofn sydyn drosti. Oedd hi'n gwneud yn iawn yn gadael i Siôn fynd gyda'r porthmon draw am Ddolgellau, yn arbennig â'r holl arian yna ganddo? Gwyddai fod y porthmon yn ddyn gonest ond gwyddai hefyd am y teithwyr eraill oedd yn pasio ar hyd ffordd y mynydd – ambell filwr yn chwilio am fechgyn ifanc i'w dwyn i fyddin y Frenhines; cardotyn, efallai, oedd yn rhy dlawd i fwyta; neu... a rhoddodd ei chalon lam. Bron nad oedd am feddwl am y rheiny – y Gwylliaid.

Byddai'r rheiny, yn ôl pob sôn, yn ymosod ar bobl ddiniwed, yn dwyn gwartheg ac ambell waith yn lladd os nad oedden nhw'n cael beth roedden nhw'n ei fynnu. Ac eto, meddyliodd, bachgen tlawd oedd Siôn – gobeithiai na fyddai neb yn dod i ddeall beth oedd wedi ei wnïo i mewn i waelod ei grys.

"Henffych!"

Daeth gwaedd o gyfeiriad y tro a daeth wyneb y porthmon i'r golwg.

"Henffych, Begw! Sut wyt ti ar bnawn braf fel heddiw?" meddai, a dod i eistedd ar y fainc wrth y drws.

Aeth Begw i baratoi tamaid i'w fwyta iddo. Dyna'r arferiad – yno y byddai'r porthmon yn aros ar ei ffordd draw am Ddolgellau i nôl gwartheg. Ond ar ei ffordd tua Amwythig, gyda'r gwartheg gwyllt yn rhedeg i bob cyfeiriad, byddai'n rhaid iddo aros yn un o'r tafarndai lle byddai'n cael cae neu gorlan i gadw'r gwartheg yn saff.

"Ty'd, Siôn, mae'n amser cychwyn," meddai'r porthmon toc, ac mewn dim roedd wedi codi ei becyn, chwibanu ar ei gi a brasgamu am y llwybr. "Diolch, Begw, a phaid â phoeni am yr hogyn, mi ofala i amdano fo!" galwodd.

Trodd Siôn i edrych ar Wmffra. Roedd yn gwybod yn iawn fod ei frawd yn ysu am gael dod gydag o.

"Paid ti â dilyn, cofia," rhybuddiodd. "Mae'n well i ti aros yma efo Begw, ti'n gwybod hynny, Wmffra."

Roedd Wmffra'n sefyll yn y drws a'i ben yn isel. Daeth Rhacs ato i lyfu ei law.

"Rhaid i ti helpu Begw, rhaid i chi baratoi a meddwl i ble'r awn ni wedi i mi ddod â Mam adre." Arhosodd Siôn am funud. Roedd ei wyneb yn ddwys. "Rhaid i ni chwilio am le i guddio, Wmffra, achos mi ddaw Simwnt o hyd i ni yn fan hyn efo Begw. Dyna dy waith di tra bydda i wedi mynd." Yna cofiodd Siôn am eiriau olaf ei fam cyn iddi gael ei llusgo i ffwrdd. Tomos Prys – wrth gwrs, dyna pwy oedd y dyn â'r het fawr a'r bluen! Tomos Prys fyddai'n eu helpu!

Gwyliodd Wmffra ei frawd mawr, yna cododd ei ben. Nid bachgen oedd o rŵan – roedd ganddo waith i'w wneud. Doedd pwdu ddim yn mynd i ddatrys unrhyw broblem.

"Be ddylwn i wneud?" gofynnodd wedyn, a gwyliodd Wmffra ei frawd mawr yn nesáu ato'n gynhyrfus ac yn gafael ynddo. Teimlodd rywbeth yn cael ei roi yng nghledr ei law. Edrychodd, ac yno roedd un o'r sofrenni aur.

"Rhaid i ti fynd at Tomos Prys i Blas Iolyn!" sibrydodd Siôn. "Rhaid i ti fynd y peth cyntaf yn y bore, Wmffra. Paid â gadael i Begw dy rwystro di. Paid â mynd yn agos at Ewyrth Simwnt, ddim hyd yn oed i sbecian am y ceiliog du. Cofia rŵan." Roedd o'n gwybod am Wmffra a'i ofal am y ceiliog du. "Rhaid i ti fod yn ofalus. Paid â gadael i neb dy weld. Dos yng nghysgod y gwrychoedd; rwyt ti'n fach ac mi fedri di guddio."

"Ond be ddylwn i ddweud wrth Tomos Prys?" Roedd llais Wmffra yn fach, fach. Roedd meddwl am orfod mynd i siarad â dyn mor bwysig â'r Tomos Prys yma, pwy bynnag oedd o, yn ei ddychryn.

"Dangos y sofren iddo a dweud mai mab Rhys wyt ti. Mi fydd o'n deall," meddai Siôn wedyn.

Yna, gwelodd Siôn fod y porthmon wedi mynd ymhell o'i flaen. Trodd a chychwyn am y llwybr i'w ddilyn.

"Gwna'n siŵr fod Rhacs yn y bwthyn efo chi heno, Wmffra, a bydd yn ofalus fory. Mi fydda i yn fy ôl cyn gynted ag y medra i!" gwaeddodd a chwifio'i law ar Begw, oedd wedi dod allan yn ei hôl i'w gwylio'n mynd.

Rhedodd Siôn nes iddo gyrraedd at y porthmon.

"Os awn ni'n reit sydyn rŵan mi fedrwn ni gyrraedd cyffinia afon Prysor cyn nos ac mi gawn ni lety yno tan fory."

Er fod y porthmon yn hen ŵr bellach, gallai Siôn weld ei fod yn dal yn gryf. Edrychodd ar y ffon braff yn ei law a rywsut roedd hynny'n gysur iddo.

"Dydi bod allan ar y ffordd yma yn hwyr y nos ddim yn syniad da i borthmon fel fi ar fy ffordd yn ôl, wedi gwerthu'r gwartheg i gyd ym marchnad Amwythig, 'sti."

Nodiodd Siôn ac edrych yn graff ar y porthmon – ble'r oedd o'n cadw ei arian, tybed? Oedd rhywun wedi gwnïo poced ffug yn ei grys yntau hefyd?

Cerddodd y ddau yn fân ac yn fuan i fyny'r llethrau. Roedd yr haul wedi suddo a'r creigiau'n creu cysgodion duon o'u hamgylch. Gallai Siôn weld y ffordd yn troelli ymhell o'i flaen i lawr y cwm. Ymestynnai'r llethrau i fyny'n uchel bob ochr iddyn nhw a chraffodd Siôn o un ochr i'r llall. Ai ei ddychymyg oedd yn ei herio ynteu oedd o'n gweld cysgodion rhywun yn codi o'r tu ôl i'r cerrig acw, neu...?

"Meee!" galwodd hen afr am ei myn bach, a neidiodd Siôn allan o'i groen bron.

Chwarddodd y porthmon.

"Mae'r hen eifr yma'n ddigon i godi ofn ar rywun yn y gwyll fel hyn, ond paid â phoeni – dydi eu cyrn nhw ddim hanner mor finiog â'u golwg!" meddai.

Brysiodd y ddau ymlaen a chyn bo hir gallai Siôn weld golau gwan yn disgleirio trwy ddrws agored. Roedden nhw wedi cyrraedd eu llety.

"Noswaith dda, feistres!" gwaeddodd y porthmon wrth fynd i mewn i'r ystafell fach fyglyd.

Dilynodd Siôn yn betrus. Roedd o'n falch o gyrraedd y llety ond gallai glywed chwerthin a ffraeo criw o ddynion yn dod o'r ystafell. Arhosodd a theimlo pwysau'r sofrenni yng ngwaelod ei grys.

"Ty'd i mewn, ty'd i mewn," gwaeddodd meistres y tŷ a throdd y dynion i wylio'r porthmon yn dod i eistedd atyn nhw.

Ymlaciodd Siôn. Roedd hi'n amlwg fod y rhain yn adnabod ei gilydd. Eisteddodd y porthmon wrth ymyl horwth o ddyn mawr ac estynnodd hwnnw gwpanaid o gwrw iddo.

"Ty'd i eistedd, Siôn bach, mi fyddwn ni'n iawn heno, yli. Mae Twm Mawr yma i ofalu amdanon ni," chwarddodd y porthmon a gwneud lle i Siôn eistedd ar y fainc.

Roedd yr ystafell yn gynnes braf a toc roedd lleisiau'r dynion yn swnio fel hymian gwenyn o'i gwmpas. Roedd llygaid Siôn ar fin cau. Rhoddodd ei ben i lawr ar y fainc o'i flaen, a theimlo'i hun yn nofio i freuddwyd â'i llond o sofrenni a cheiliogod duon.

Ond yna'n sydyn daeth bloedd o'r tu allan i'r llety, ac o'r tywyllwch daeth sŵn carnau ceffylau. Sgrialodd y dynion ar eu traed yn wyllt, pob un yn rhuthro am ffon, pastwn neu gleddyf. Gwthiodd y porthmon Siôn i gornel y simdde, fel ei fod yn cuddio yn y cysgod.

"Swatia o'r golwg, rhag ofn. Does wybod pwy sy'n cyrraedd ar y fath frys!" sibrydodd.

Clywodd Siôn sŵn carnau'r ceffylau'n dod i stop a sŵn dynion yn gweiddi. Roedd atsain traed trymion yn nesáu. Roedd mwy nag un dyn yno'n bendant, meddyliodd o'i guddfan. Milwyr efallai, milwyr ar eu ffordd i Lundain. Carlamodd ei galon. Gwyddai fod y Frenhines Elizabeth bob amser angen dynion i'w byddin, a hithau a brenin Sbaen yn bygwth ei gilydd o hyd. Swatiodd ymhellach. Roedd ganddo waith llawer pwysicach i'w wneud nag ymuno â byddin.

Roedd o angen achub ei fam o garchar drewllyd Dolgellau.

Yna, o'r drws, clywodd lais yn galw. Llais dwfn, dieithr.

"Rydw i'n chwilio am fachgen ifanc," meddai'r llais. "Rydw i'n chwilio am Siôn ap Rhys."

Pennod 10

Fedrai Siôn wneud dim ond syllu am dipyn. Syllu ar y dyn yn ei het gantel lydan a'r bluen goch. Am sbel ni allai wrando ar yr hyn a ddywedodd y dyn, dim ond syllu arno a'i geg ar agor.

"Felly, gorffen dy swper, Siôn, rhaid i ni fynd," meddai'r gŵr bonheddig a chodi, gan amneidio ar Siôn i'w ddilyn.

"Ond sut y gwn i mai ti ydi Tomos Prys?" meddai'r porthmon wedyn yn ddryslyd. "Mi addewais i wrth Begw y byddwn i'n gofalu am y bachgen."

Gwenodd Tomos Prys.

"Do, fe ddywedodd yr hen wraig dy fod yn ŵr gonest, borthmon – ac y byddwn i'n cael trafferth dy gael i ollwng y bachgen o'th ofal."

Yna tynnodd y gŵr bonheddig ei fodrwy aur a'i gwthio dan drwyn y porthmon.

"Dyna ti, edrych, fy sêl – Tomos Prys, Plas Iolyn – ac fe ddois i chwilio am y bachgen gan fod gen i ddyled i'w thalu i'w dad."

"Sut felly?" holodd y porthmon.

"Fyddwn i ddim yn sefyll yn y fan hon rŵan oni

77

bai am Rhys − tad y bachgen yma. Fo roddodd ei fywyd i achub fy un i," meddai wedyn. "Fe yrrwyd amdana i gan rywun, neges yn dweud bod y bechgyn mewn trafferth, ac fe ddois i. Mi fyddwn wedi dod ynghynt petawn i'n gwybod am y cythrel ewyrth yna sydd ganddyn nhw, a'i driciau."

"Ond fe wyddoch i ble rydan ni'n mynd, felly?" holodd y porthmon.

"Gwn yn iawn," meddai Tomos Prys wedyn. "Mi fues i i ffwrdd yn rhy hir, rydw i'n sylweddoli hynny rŵan, ond does yr un neges yn dy gyrraedd pan wyt ti ymhell ar y cefnfor. Wyddwn i ddim fod Gwerfyl, dy fam, wedi ei chymryd, Siôn. Wyddwn i ddim nes i mi ddod i chwilio amdanoch ac i'r Simwnt gythrel yna ddweud wrtha i ei bod hi wedi'i chymryd i ffwrdd yn wrach."

"Ond nid gwrach ydi Mam…" cychwynnodd Siôn.

"Nage siŵr, mi wn i hynny'n burion, a dyna pryd y gwnes i ddeall cynllwyn Simwnt," ychwanegodd.

Gallai Siôn weld bod llygaid Tomos Prys yn fflachio gan ddicter.

"Roedd o'n gwybod yn iawn sut i gael gwared ar dy fam a chael ei ddwylo budron ar y sofrenni yr oedd hi'n eu cael i ofalu amdanoch."

Arweiniodd Tomos Prys nhw at y ceffylau.

"Paid ti â phoeni am Simwnt, Siôn, mi gaiff hwnnw ei haeddiant pan ddown ni'n ôl. Ond mae ganddon ni waith pwysicach am rŵan. Rhaid i ni gyflymu; mi ges neges o Ddolgellau yn dweud eu bod am symud dy fam – ei symud tua Henffordd."

"Ei symud?" Fedren nhw ddim mynd â'i fam ymhellach oddi wrtho. "Ond pam fydden nhw'n ei symud hi?" gwaeddodd.

"Am mai cael ei dwyn i'r carchar am reibio gafodd hi, maen nhw am fynd â hi i'w harddangos ym marchnadoedd y Gororau, i godi dychryn ar unrhyw un arall fyddai'n meddwl rheibio. Maen nhw eisiau gwneud esiampl ohoni, mae'n debyg."

Cododd Siôn, gwthio bara i'w geg a chychwyn am y drws.

"Wel, dowch felly!" gwaeddodd.

"Mi wela i dy fod yn debyg iawn i dy dad, fachgen!" chwarddodd Tomos Prys.

Roedd y ceffylau wedi eu bwydo ac yn barod i barhau â'r siwrnai am Ddolgellau. Neidiodd Siôn i fyny i farchogaeth y tu ôl i Deio, un o ddynion Tomos Prys. Gafaelodd yn dynn a gwylio'r nos yn gwibio heibio iddo. Roedd y ffordd yn arw a throellog a'r creigiau'n codi'n gysgodion duon rhyngddo a'r awyr dywyll. Ond daeth y lleuad i'r golwg i oleuo'r ffordd nes bod popeth i'w weld yn olau braf. Ond, yn fwy na hynny, gallai Siôn weld cip o'r bluen goch yn arwain y ffordd. Cododd ei ysbryd. Pwy fyddai'n meiddio sefyll yn eu ffordd rŵan, a Tomos Prys ei hun yn marchogaeth o'u blaen? Anghofiodd Siôn bopeth am y Gwylliaid a'r milwyr. Teimlodd bwysau'r sofrenni aur yng ngwaelod ei grys a phwysodd yn ei flaen, fel petai am i'r ceffyl gyflymu. Gweddïai na fyddai ei fam wedi cael ei symud cyn iddyn nhw gyrraedd.

Roedd y dydd yn deffro wrth i'r garfan fach deithio tua'r gorllewin, a'r haul yn dechrau goleuo'r wlad y tu ôl iddyn nhw. Yma ac acw deuai synau'r byd yn deffro i'w clyw – ambell gi yn cyfarth a gweision yn galw am y gwartheg a'r geifr. Wrth basio bythynnod bach, gallai Siôn weld y mwg yn codi'n araf trwy'r toeau gwellt ac yma ac acw deuai sŵn clochdar ceiliog.

Yn sydyn, cofiodd am Wmffra a suddodd ei galon. Roedd o wedi dweud wrtho am fynd i chwilio am Tomos Prys. O na! Gobeithio'n wir na fyddai'n mynd yn agos at fwthyn Simwnt.

Yna, arafodd Tomos Prys ac aros. Daeth y ceffylau eraill i sefyll o'i amgylch.

"Rydan ni wedi cyrraedd," meddai. "Dacw dref Dolgellau i lawr yn y fan acw, a dyna'r carchar."

Edrychodd Siôn i lawr i gyfeiriad y dref a'r afon yn dolennu'n ddiog yn y cwm. Teimlodd rywbeth yn ei fol yn rhoi naid. Rhoddodd weddi fach dawel. Gobeithio bod ei fam yno, ac yn iach.

Yna, cofiodd am y sofrenni. Tynnodd y pwrs o'i guddfan a'i estyn i Tomos Prys.

"Dyma nhw eich sofrenni chi, syr," meddai. "Mi fedres i eu dwyn yn ôl oddi ar Simwnt, er mwyn medru cael Mam yn rhydd."

Edrychodd Tomos Prys arno, a gwenu. Ysgydwodd ei ben.

"Mi alla i weld dy dad ynddot ti, fachgen," meddai. "Ryw ddiwrnod, os bydd dy fam yn fodlon, mi gei di ddod efo fi, fel un o fy llongwyr. Mae digon o haearn ynot ti i ddal gwyntoedd y cefnfor mawr, yn union fel dy dad!"

Gwenodd Siôn yn swil ond rhoddodd ei galon lam – dyna ei freuddwyd, wrth gwrs. Mynd yn llongwr ar long Tomos Prys ei hun, fel ei dad.

"Cadw di'r sofrenni yna, fydd yr un o'r rheina yn mynd i ddwylo yr un ceidwad carchar."

Amneidiodd Tomos Prys ar i'r dynion ei ddilyn. Wrth nesáu at y carchar gallai Siôn weld bod cert wedi aros y tu allan iddo. Gallai weld y gefynnau ar gefn y gert yn disgwyl i'r carcharor gamu iddi. Yna, daeth sŵn siarad o'r tu mewn i'r adeilad bach tywyll a daeth horwth o ddyn gwyllt yr olwg allan i'w hwynebu. Wrth weld Tomos Prys a'i ddynion, sythodd y dyn.

"Beth yw eich neges?" poerodd.

Gwelodd Siôn fod ei law wedi symud i afael yng ngharn dagr milain yr olwg. Mae'n rhaid mai hwn oedd ceidwad y carchar felly. Diolchodd Siôn nad oedd wedi gorfod wynebu hwn ar ei ben ei hun.

"Does dim angen cynhyrfu," meddai Tomos Prys yn ddistaw. "Does gennym ni ddim dadl efo ti."

Gwyliodd Siôn ysgwyddau'r dyn fel petaen nhw'n ymlacio ychydig.

"Dod i chwilio am rywun rydan ni, rhywun sydd wedi cael ei charcharu ar gam," meddai Tomos Prys wedyn.

"O?" holodd y ceidwad.

"Mae gennych chi wraig yma – Gwerfyl, mam y bachgen yma," meddai Tomos Prys, "ac rydan ni wedi dod yma i'w nôl hi."

"Ond rydan ni ar gychwyn am Henffordd a'r Gororau," meddai'r ceidwad yn ddryslyd.

"Does dim angen i ti wneud hynny, gyfaill," meddai'r bonheddwr ac amneidio ar i'r ceidwad ddod yn nes.

Gwelodd Siôn fod Tomos Prys wedi tynnu pecyn oddi ar ei gyfrwy, a gwelodd hefyd fod y ceidwad yn ei wylio'n ofalus. Tynnodd Tomos Prys rolyn o bapur o'r pecyn a rhoi'r rholyn papur i'r ceidwad. Torrodd hwnnw'r sêl. Gwelodd Siôn yr olwg ddryslyd ar ei wyneb. Roedd hi'n amlwg na allai'r ceidwad ddarllen y geiriau. Rhoddodd y rholyn papur yn ôl i Tomos Prys.

"Gorchymyn ydi o, gorchymyn oddi wrth y siryf ei hun, fod y wraig i'w rhyddhau ar unwaith," meddai Tomos Prys, a'r bluen goch yn dawnsio'n awdurdodol. "Ond mae yna orchymyn arall yna hefyd; gwŷs ydi hi, gwŷs i ddal a dwyn rhywun arall i'r carchar yn lle Gwerfyl."

Edrychodd Siôn yn syn. Gwŷs – gorchymyn i ddal rhywun arall yn lle ei fam? Pwy felly?

"Mae angen i chi ddod i nôl y carcharor pan gewch chi gyfle. Mi fydda i a'm gweision wedi ei ddal yn barod i chi," meddai Tomos Prys. Yna, amneidiodd ar i'r ceidwad fynd yn ei flaen i nôl Gwerfyl.

"Rydan ni ar frys, rydan ni'n awyddus iawn i gychwyn yn ein holau am Benllyn. Mae ganddon ni waith pwysig i'w wneud yno, fel y clywsoch chi."

Rhoddodd stumog Siôn dro. Oedd ei fam yn iach? Fyddai o'n ei hadnabod hi? Fyddai hi yn ei adnabod o?

Yna daeth sŵn llais cyfarwydd i glustiau Siôn, llais nad oedd wedi ei glywed ers cymaint o amser.

"Mam!" gwaeddodd a rhedeg i gofleidio'r wraig denau yn y dillad carpiog a safai'n cuddio ei llygaid rhag golau caled y bore.

Pennod 11

Bu'r daith yn hir ac anodd. Roedd Gwerfyl yn wan ac er fod yr haul yn codi'n gryf a chynnes, crynai yn ei dillad carpiog ac roedd yn rhaid i'r ceffylau aros yn aml iddi gael gorffwyso. Roedd Siôn yn mynnu cerdded wrth ymyl y ceffyl a gariai ei fam, i ofalu na fyddai'r anifail yn gwneud unrhyw symudiad annisgwyl a allai achosi i'w fam lithro. Edrychai'n bryderus ar y corff tenau a'r wyneb gwelw. Roedd blynyddoedd o bydru mewn carchar budr, llaith, heb ddigon o fwyd na golau, wedi gadael eu hôl ar Gwerfyl. Ac er iddi wenu arno a nodio i ddweud ei bod yn iawn, roedd Siôn yn deall bod gwaith mendio ar ei fam. Cyn iddi fynd i ffwrdd, ei fam oedd wedi bod yn gofalu amdano fo ac Wmffra. Sylweddolodd Siôn mai arno fo y byddai'r cyfrifoldeb i ofalu o hyn ymlaen. Sythodd – dyna y byddai'n ei wneud felly. Byddai'n rhaid iddo roi gorau i'r freuddwyd o fynd i'r môr am y tro – ei waith oedd gofalu am ei fam ac Wmffra.

Yna'n sydyn, clywodd Siôn sŵn cyfarth gwyllt. Craffodd draw tua ffordd y mynydd. Fydden nhw ddim yn hir nes bydden nhw'n cyrraedd y llwybr a arweiniai i lawr tuag at fwthyn Begw. Daliai'r cyfarth i dorri ar dawelwch y bore. Yna, sylweddolodd Siôn mai Rhacs oedd yno. Rhuthrodd y ci tuag atyn nhw, yn cyfarth a neidio, nes i'r ceffylau anesmwytho. Gollyngodd Siôn dennyn y ceffyl a rhedeg i geisio tawelu'r ci. Wrth iddo gyrraedd ato, gallai weld bod Rhacs yn gloff. Craffodd eto. Roedd gwaed wedi sychu ar ei drwyn – roedd hi'n amlwg fod rhywun wedi ymosod arno.

Gallai Siôn deimlo'r dychryn yn gafael ynddo. Gwyddai fod Begw ac Wmffra mewn perygl. Rhedodd at Tomos Prys.

"Rhaid i ni gyflymu," meddai. "Mae ar Begw ac Wmffra ein hangen ni."

Nodiodd Tomos Prys a neidiodd Siôn i fyny y tu ôl iddo; gwelodd fod Deio wedi symud i arwain ceffyl ei fam. Yna, carlamodd y ddau yn eu blaenau gan adael i'r lleill eu dilyn yn araf.

Cyn pen dim roedden nhw wedi cyrraedd i olwg bwthyn Begw. Teimlai Siôn ei galon yn carlamu i rhythmau carnau'r ceffyl. Cyn i'r ceffyl ddod i stop, neidiodd Siôn i'r ddaear a rhuthro at ddrws y bwthyn. Aeth ias trwyddo. Roedd y drws yn hongian yn simsan, a'r ieir yn pigo hyd y rhiniog. Gwyddai Siôn na fydden nhw'n meiddio gwneud hynny pe byddai Begw yno.

"Begw! Begw, ydach chi yna?" gwaeddodd a rhuthro i mewn i dywyllwch y gegin oer. Gallai weld yn syth fod rhywun wedi bod yno. Roedd y bwrdd wedi ei chwalu a'r cwpanau pren wedi eu taflu dros y lle. Roedd y fainc y bu yntau ac Wmffra yn eistedd arni i yfed eu llaeth wedi ei thorri'n ddarnau a'r potiau pridd a ddaliai'r llaeth yn deilchion. Yn y gornel lle byddai Begw'n cadw'r crwybr, doedd dim ond llanast, a chŵyr a mêl yn llifo'n afon ludiog hyd y llawr pridd.

"Y cythrel!" bloeddiodd Siôn. Gwyddai'n iawn pwy oedd yn gyfrifol am y llanast.

"Begw!" bloeddiodd wedyn, a rhuthro allan i wynebu'r haul creulon.

Doedd dim golwg o Begw nac Wmffra. Daeth ofn oer drosto. Roedd yn rhaid brysio felly. I ble y byddai Simwnt wedi mynd â nhw? Gwyddai am dymer Simwnt ac arno fo, Siôn, roedd y bai yn ei wylltio trwy ddwyn y sofrenni. Beth ddaeth dros ei ben yn gadael Begw ac Wmffra heb neb i'w hamddiffyn? Doedd ganddyn nhw ddim siawns yn erbyn horwth gwyllt fel Simwnt.

Yna, clywodd Siôn sŵn mwmian yn dod o gyfeiriad y clawdd lle safai'r cychod gwenyn. Clustfeiniodd. Clywodd y sŵn wedyn. Sŵn rhywun yn griddfan. Rhuthrodd draw i gyfeiriad y cychod.

Roedd rhywun yno'n gorwedd – gallai weld siâp tywyll yng nghysgod y wal. Brysiodd Tomos Prys draw at ochr Siôn.

"Be weli di?" sibrydodd, ac edrych draw at ble'r oedd Siôn yn pwyntio.

Sleifiodd y ddau draw yn dawel – doedd yr un ohonyn nhw am godi gwrychyn tri chwch gwenyn.

Yna arhosodd Siôn a chodi ei ben. Gwelodd Tomos Prys y wên yn lledu ar draws ei wyneb a'i lygaid yn pefrio. Yno, yn gorwedd yng nghysgod y wal, a'i wyneb yn bigiadau coch, poenus, yn griddfan fel arth wedi bod yn ymladd mewn brwydr, roedd Simwnt. Hedfanai'r gwenyn blin o'i amgylch a phob tro y ceisiai godi, rhuthrai'r gwenyn yn ôl tuag ato.

Amneidiodd Tomos Prys ar Siôn i ddod oddi yno.

"Dyna fo wedi cael ei haeddiant!" chwarddodd Siôn.

Yna, daeth bloedd o gyfeiriad ffordd y mynydd. Rhuthrodd y ddau i gyfeiriad y sŵn. Roedd Deio wedi aros gyda'r ceffylau ac wedi helpu Gwerfyl i ddisgyn oddi ar ei cheffyl. Gwyliodd Siôn ddau ffigwr arall yn dod o'u cuddfan yn y gwrych ac yn brysio tuag at y ceffylau. Gwenodd Siôn wrth weld y ffigwr lleiaf yn dechrau rhedeg, yn carlamu tuag at ei fam. Roedd Wmffra wedi cyrraedd a gallai Siôn weld ei fam yn agor ei breichiau i'w gofleidio. Daeth teimlad cynnes, braf drosto. Roedd ei fam adre o'r diwedd. Ac yno, wrth ei ymyl yntau, roedd y gŵr bonheddig yn ei het gantel lydan a'r bluen goch yn chwifio'n falch. Gwyddai Siôn na fyddai neb yn meiddio galw ei fam yn wrach byth eto.

★ ★ ★

Wythnos yn ddiweddarach, roedd Siôn yn ei ôl yn y farchnad. Y tro hwn, doedd dim rhaid iddo guddio yng nghysgod yr un drws. Roedd wedi dod i'r farchnad i helpu Begw gyda'r stondin fêl. Crwydrodd yma ac acw yn gwylio'r gwerthu a'r prynu. Teimlodd yr arian – dim ond ceiniogau, wrth gwrs – yn y pwrs bach yng ngodre ei grys. Tynnodd ddime ohono – roedd wedi dewis darn o ruban yn anrheg i'w fam. Aeth yn ei flaen i'r stondin fasgedi a chodi basged gref oddi ar y stondin. Byddai honno'n gwneud cawell da i'r ceiliog du. Mi fyddai Wmffra wedi ei blesio.

Wedi prynu'r anrhegion, arhosodd am funud i wrando ar gerddi'r hen fardd. Hanes Tomos Prys oedd ganddo, wrth gwrs, a sut y bu iddo ymosod ar un o longau Sbaen yn y Caribî. Dechreuodd ei feddwl grwydro eto... Sut le fyddai'r Caribî, tybed? Oni fu ganddo freuddwyd unwaith, amser maith yn ôl? Chwarddodd Siôn – fe allai gael yr hanes i gyd gan y dyn ei hun erbyn hyn, heb orfod mynd ar fwrdd yr un llong.

Tynnwyd ei sylw gan sŵn gweiddi o gyfeiriad sgwâr y dref. Ymunodd â'r dorf i weld beth oedd y cythrwfl. Gwyliodd ddau filwr yn gwthio dyn yn ei flaen, yn tynnu'r gefynnau oddi ar ei ddwylo ac yn ei osod i eistedd yn y rhigod, ei freichiau a'i draed ar led. Craffodd Siôn. Gwyliodd y dorf yn cau am y dyn, yn gweiddi ac yn chwerthin. Aeth yntau yn ei flaen, yn cael ei gario gan y dorf. Roedd ambell un wedi codi tywarchen yn barod i'w thaflu. Gwthiodd rhywun wy i'w law, wy drwg siŵr o fod.

Yna, cododd y dyn ei ben a gwelodd Siôn lygaid Simwnt yn edrych arno. Cododd yntau ei law ac anelu'r wy. Gwthiodd y dorf yn nes, yn ei annog, ei herio.

Cymerodd un cip arall ar wyneb Simwnt, ond doedd arno ddim mo'i ofn bellach. Dim ond hen ddyn truenus oedd hwn a eisteddai yn y rhigod heddiw. Trodd Siôn ar ei sawdl a thaflu'r wy i ganol gwrych trwchus. Rhedodd yn ei ôl tuag at stondin Begw. Roedd hi'n amser i'r ddau fynd am adre, meddyliodd. Adre at Mam ac Wmffra.

Rhai o nofelau eraill Cyfres Pen Dafad

£3.95

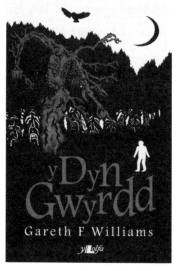

£3.95

£3.95

£3.95

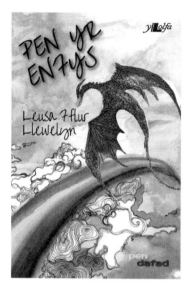

£3.95

£3.95

£3.95

Gwybodaeth am holl nofelau Cyfres Pen Dafad ar
www.ylolfa.com